Perdidos & Achados

entre a escuta poética e a psicoterapia

Fátima Santa Rosa

Perdidos & Achados

entre a escuta poética e a psicoterapia

solisluna
editora

Perdidos & Achados

copyright © 2018 Fátima Santa Rosa

EDIÇÃO
Enéas Guerra
Valéria Pergentino

PROJETO GRÁFICO E DESIGN
Valéria Pergentino
Elaine Quirelli

CAPA
Enéas Guerra

REVISÃO DO TEXTO
Maria José Navarro

FOTOGRAFIAS
Lila Ferradans

Nota: *Nomes e informações foram alterados no material narrado e na descrição dos clientes/pacientes de modo a preservar suas identidades.*

Dados Internacionais de Catalogação na Publicação (CIP)
de acordo com ISBD

R788p   Santa Rosa, Fátima

       Perdidos e achados: entre a escuta poética e a psicoterapia / Fátima Santa Rosa. - Lauro de Freitas - BA : Solisluna, 2018.
       128 p. : il. ; 15cm x 21cm.

       Inclui bibliografia e índice.
       ISBN: 978-85-53300-00-6

       1. Psicologia. 2. Psicoterapia. 3. Poesia. I. Título.

                                       CDD 150.19
2018-56   CDU 159.9

Elaborado por Vagner Rodolfo CRB-8/9410

Índices para catálogo sistemático:
1. 1. Psicologia : Psicoterapia 150.19
2. 2. Psicologia : Psicoterapia 159.9

Todos os direitos desta edição reservados à Solisluna Design Editora Ltda.
55 71 3024.1047   www.solisluna.com.br   editora@solislunadesign.com.br

A maior riqueza do homem é a sua incompletude.
Nesse ponto sou abastado.
Palavras que me aceitam como sou – eu não aceito.
Não aguento ser apenas um sujeito que abre
portas, que puxa válvulas, que olha o relógio, que
compra pão às 6 horas da tarde, que vai lá fora,
que aponta o lápis, que vê a uva etc. etc.
Perdoai.
Mas eu preciso ser Outros.
Eu penso renovar o homem usando borboletas.

Manoel de Barros

A Getro Guimarães (*in memoriam*), LuFaTiLi e à Companhia Subversiva de Dizedores de Versos, pela Poesia Viva e compartilhada.

gratidão

Gostaria de tecer abraços com linhas e entrelinhas para agradecer a todos que estiveram comigo no longo caminho de fazer nascer este livro. Quero agradecer por cada pergunta, por cada escuta, por cada crítica, por cada mal-entendido, por cada comentário, por cada sugestão, por cada estímulo, por cada presença, por cada ausência, por cada gesto de delicadeza e solidariedade. Como não é possível nomear aqui todas as pessoas, saibam que os nomes que não estiverem escritos nas linhas, estarão presentes nas entrelinhas.

Gratidão às pessoas que escolheram a mim e a meu trabalho para estarmos juntos nos seus processos de psicoterapia.

Agradeço a Luiz Ferradans, por sua imensa paciência amorosa, pela sua disponibilidade em ouvir, com afeto e bom humor, leituras infinitas, e por compartilhar comigo o seu dom de desatar nós.

Agradeço a Amnéris Maroni, pela sua confiança inspiradora e por me doar tesouros com seu olhar perspicaz, sábio e generoso. Sem sua presença este livro não teria acontecido.

Eterna gratidão ao Instituto de Psicologia Analítica da Bahia, onde fiz a formação de analista junguiana. A monografia de conclusão do curso é o embrião deste livro.

Gratíssima a João Paulo Ayub, pela sua leitura enriquecedora e poética do texto.

Grata a Tito Cavalcanti, por sua escuta ao mesmo tempo acolhedora e desafiadora.

Gratidão a Josefa Guimarães, por sua inspiradora presença em minha vida.

Gratidão a Lila Ferradans, Tito Ferradans e Kátia Santa Rosa pela escuta de muitos trechos deste trabalho, pelas críticas norteadoras e pelas preciosas sugestões.

Gratíssima a Elisa Lucinda e Geovana Pires, por me apresentarem a estrada dos dizedores de versos e a escuta necessária e desejada para entrar na casa do poema.

Gratidão imensa a Lília Gramacho, por sua amizade e presença parceira, incentivadora nos meus processos de escrita.

Gratidão profunda a Jaqueline Cássia de Oliveira, que, com seu trabalho de Psicogenealogia Sistêmica, irreverente e sabiamente, me possibilitou uma chave para destrancar uma porta de silêncio e revelações.

Gratidão ao ex-meu analista lacaniano, que não é e continua sendo.

Grata aos que, com a poesia, nos tocam como um carinho e como uma janela que se abre num aposento abafado, e aos que, com a poesia, nos atingem como socos, queimaduras e pedradas!

sumário

10 PREFÁCIO
entre a escuta poética e a psicoterapia

14 alguns esclarecimentos

17 **vagalumes**
19 vagalume I
22 vagalume II
27 vagalume III
29 vagalume IV
30 vagalume V
33 vagalume VI
36 vagalume VII
39 vagalume VIII
41 vagalume IX
45 vagalume X
50 vagalume XI
51 vagalume XII

67 alimentando borboletas

82 conclusão?

88 pedra - o começo

95 referências

PREFÁCIO

entre a escuta poética e a psicoterapia

Da pedra às borboletas, da pergunta à escuta, da clínica à escrita, do verso ao subversivo... O livro *Perdidos e Achados: entre a escuta poética e a psicoterapia* é o mapa de um "caminho intermediário" atravessado pela autora. Travessia feita entre palavras, silêncio e escuta, sem ponto específico/objetivo de chegada... A palavra/escuta de Fátima é um compromisso verdadeiro com a Vida. E o leitor, convidado a participar da tessitura dessas trilhas encantadas – pelo imprevisível, o inacabado e o impensado – imersas em fanta(poe)sia, é lançado num *espaço VIVO de atividade criativa, de acolhimento, de transformação, desvelamentos, de brotamentos e de convivência com o invisível e com a multiplicidade.*

Para tal jornada – travessia existencial – é preciso estar atento a alguns avisos: o tecido da vida é vivo; a escuridão, o silêncio, os abismos de cada um são lugares de sofrimento, fraqueza e desalento... mas são também morada de vagalumes e de borboletas, de amor e de poemas! A sabedoria de C. G. Jung acompanha a autora neste caminhar sobre trilhas inter/mediárias: "Toda proposição psicológica só pode ser considerada válida quando, e somente quando a validade do seu sentido oposto também puder ser reconhecida."[1] A coleção de preciosos vagalumes de Fátima Santa Rosa salpica de estrelas um céu de escuridão...

Em *Perdidos e Achados* a escuta dita o próprio ritmo da caminhada. Com ele aprendemos/experimentamos o deslocar constante entre polos opostos, consciente e inconsciente, em direção à fantasia ativa e ao "pensamento-fantasia": outra inspiração junguiana que a autora soube reconhecer na sua expressão mais fina! A escuta poética guia a clínica da autora e faz do encontro com seus pacientes uma verdadeira imersão no abismo de palavras e experiências as mais difíceis, para depois retornar feito passarinhos, vagalumes, borboletas... A escuta poética, numa aproximação delicada entre clínica, escrita e poesia, já não quer saber de enquadramentos. Nesse sentido, Fátima Santa Rosa está atenta e recusa o "pensamento dirigido", outra chave ofertada por Jung, das Escolas e doutrinas da área-psi, inclusive da Escola chamada Junguiana, com seus conceitos-transformados-em-moedinhas-gastas-e-já-sem-vida. Escuta clínica não se confunde com aplicação de teoria, tão comum no mundo das escolas-psis e Fátima sabe disso, nos lembra isso e volta a nos ensinar, ainda uma vez, essa verdade sempre esquecida. Escuta poética-clínica é experiência diferente se tivermos presente a escuta levada a cabo pela consciência e pelo intelecto, pois ela pertence a uma outra con-figuração: escuta pensamento-onírico, espaço intermediário. A Vida, o canto e a poesia não toleram as cangas da objetividade – e a autora sabe disso melhor do que ninguém, tendo experimentado ainda criança a transmutação de caminhões em Caminhão.

O psicanalista Christopher Bollas, em paralelo com a sabedoria junguiana, também re-conhece os "espaços intermediários" e também afirma que é preciso escutar, a despeito de toda e qualquer teoria. Nesta viagem, os aliados de Fátima são, além de borboletas, vagalumes e passarinhos, os poetas de toda a sua vida: Mário Quintana, Manoel de Barros, Hilda Hilst e tantos outros. E é com eles que ela faz a travessia!

Por fim, o livro nos ensina que a escuta é também um gesto de genuína generosidade e abertura para sempre novos encontros/desencontros, sofrimento e alegria. Há uma profunda empatia com aqueles que levam a vida sem sabor, como chicletes há muito mastigados, cuspidos, pisados por solas de sapato e pernas de barata... E o trabalho clínico, a escuta clínica aliada à poesia, consiste em resgatar a massa da Vida/chicletes lá mesmo onde quase nada resta de cheiro e de sabor. A autora diz: *Tem fala "chiclete mastigado e já sem sabor" e tem fala "alimento nutritivo". O vício pela fala "chiclete mastigado e já sem sabor" pode fazer estragos na nossa criatividade e intuição.*

Caros leitores, *Perdidos e Achados: entre a escuta poética e a psicoterapia* é fluxo de Vida, verso/subversivo, "alimento nutritivo"...

Amnéris Maroni
Antropóloga e Psicoterapeuta
&
João Paulo Ayub
Psicanalista e Cientista Social

Nota

[1] JUNG, Carl Gustav. *A prática da psicoterapia*. Petrópolis: Vozes, 2011a. (Obra Completa, v. 16/1). p.131, § 236.

alguns esclarecimentos

Escrevo-te em desordem, bem sei. Mas é como vivo.
Eu só trabalho com achados e perdidos[1]

Clarice Lispector

aviso primeiro
Sua leitura, leitor, é uma cocriação do texto. Ele é tecido vivo.

aviso segundo
Precisamos da escuridão para perceber a luz do vagalume. Este trabalho nasceu de conversas com as "cintilâncias dos escuros". Para entrar no texto e permitir que ele converse com você, "baixe os faróis e acenda a luz interna".

aviso terceiro
Precisamos do silêncio para escutar o bater das asas da borboleta. O Sr. Silêncio Escutante é coautor deste escrito. Provavelmente será coautor da leitura. (Aqui minha reverência a Ñmandu, o deus Todo Ouvir ou a Grande Escuta dos Tupi-Guarani.)

aviso quarto
"Aquele que não morou nunca em seus próprios abismos
Nem andou em promiscuidade com os seus fantasmas
Não foi marcado. Não será marcado. Nunca será exposto
Às fraquezas, ao desalento, ao amor, ao poema"[2]
Manoel de Barros

aviso quinto
"Toda proposição psicológica só pode ser considerada válida quando, e somente quando a validade do seu sentido oposto também puder ser reconhecida"[3]
Carl Gustav Jung

aviso sexto
Este texto pode ser lido tanto na sequência em que aqui se apresenta quanto em qualquer (des)ordem. Há muitas leituras (im)possíveis. Como já avisado, leitor, sua leitura é uma cocriação.

Notas
[1] LISPECTOR, Clarice. *Aprendendo a viver*: imagens. Edição de texto: Tereza Monteiro; edição de fotografia: Luiz Ferreira. Rio de Janeiro: Rocco, 2005. p. 47.
[2] BARROS, Manoel. *Poesia completa*. São Paulo: Leya, 2010. p. 82.
[3] JUNG, Carl Gustav. *A prática da psicoterapia*. Petrópolis: Vozes, 2011a. (Obra Completa, v. 16/1). p. 131, § 236.

vagalumes

vagalume I

Fazia tempo que tinha começado. A viagem estava longe do fim. Cansada, eu tinha de esperar. O cheiro da fumaça dos caminhões entrava pelas janelas do carro e pelo meu nariz e me enjoava. Meu pai dirigia devagar, subindo a ladeira. Curvas e curvas. Estrada perigosa. "Entre" abismos. *(Entre...? Entre. Entremos!)* Precipício dos dois lados. Uma longa fila de caminhões à nossa frente, pesados e se esvaindo em vômitos de fumaça cinza escura. Atrás de nós, mais uma fila de caminhões. Na pista de descida – *zum! zum! zum!* – caminhões acelerados impediam que meu pai ultrapassasse o caminhão à nossa frente.

Eu, criança, ia sentada no banco de trás, atrás do banco em que ia minha mãe e seu esvoaçante cabelo escuro que um vento quente, com mãos hábeis e velozes, ia separando em mechas e riscando/revelando caminhos de claro couro cabeludo (minha mãe e minha avó chamavam o couro cabeludo de "casco da cabeça"...). Assistia hipnotizada e distraída o vento fazer aparecer e sumir, sob o cabelo, o "casco da cabeça" de minha mãe.

O vento e os caminhões da outra pista eram as únicas coisas rápidas naquela viagem calorenta. O som contínuo do esforço dos motores dos caminhões e do nosso fusca na subida era nauseante sinfonia.

Minha avó, sentada ao meu lado. Do outro lado de minha avó, minha irmã. Dormiam as duas. A excessiva impossibilidade de movimento – a imobilidade –, tédio e cansaço de lonjuras eram minhas companhias de viagem. Mal-estar e impotência eram as sensações. Acudia-me uma ideia: *dormir faz o tempo passar mais ligeiro.* Talvez.... Fechava os olhos. No escurinho dos olhos fechados, mergulhava em meus silêncios e lá vinham rapidamente os pensamentos e a imaginação para brincar, *enquanto o Sr. Sono não vem...*

 E foram muitas viagens (quase) exatamente iguais a essa. Um dia, já que eram caminhões por todo lado, a brincadeira foi com a palavra "caminhão":

Caminhãocaminhãocaminhãocaminhãocaminhão **caminhãoca** *minhãoca* *minhãoca* minhãoca *minhãoca* **min** *camin* camin **camin** *camiii* ***nhÃO*** ***inhÃO*** **inhÃO** *caminhããão* **caminhããão** Caminhão?!

Caminhão: essa viagem demorada é um caminho compriiido, estamos num *Caminhão!*

Ao libertar a escuta, caminhão deu à luz um "Caminhão". A brincadeira era repetir a palavra até ela se/me desatar dos caminhões, virar um som e voar pela amplidão, brinquedo/balão errante nas mãos do vento. A amplidão fecundou a palavra que voltou PARindo imagens e se transformando. Veio em par com uma minhoca que virou ganido de cachorro, que virou gigante, que virou o caminho infinito por onde eu viajava. Essa descoberta/revelação transformou tudo, jogou o cansaço fora e me colocou em outra experiência de viagem. Era como se eu também fosse um "caminhão que me viajava e me levava para/por dentro". E, ao mesmo tempo, era como se o "Caminhão" me estendesse a mão e se apresentasse e se oferecesse como travessia e como um "através", para que atravessássemos por ele para ir aonde estávamos indo, e era como se ele e eu pudéssemos conversar e falar do nosso ir e vir e vice-versa. Como se nos construíssemos mutuamente. Surgiu de repente e estava ali o tempo todo esse "Caminhão" que convivia com os caminhões, com o fusca e com a menina que, para driblar o tédio, mergulhava em seus silêncios e brincava com o mistério de escutar o que as palavras acolhem para dar à luz.

Essa foi a primeira vez... quer dizer... a mais antiga que me lembro. Algo assim já lhe aconteceu?

vagalume II

Hoje, dirijo. Caminhos longos e engarrafamentos fazem parte do meu cotidiano. Engarrafamentos nos obrigam a lentiFicar o movimento. Ficar lento. Ficar lente. Lente de aumento. Conectar fora e dentro. Dentro do carro, começo a *emmimmesmar*... Muito agora *neste mesmo aqui*... Muito *tempo neste mesmo lugar*... *Aquis e agoras se juntam (e se separam) em muitas combinações. Tantas vezes o agora é mais de um, sobrepostos e coincidentes... AgoraS. Uma música toca no rádio do carro e um outro tempo me alcança neste aqui... E o aqui?... ah... tantos foram e são e serão os lugares que receberam e recebem e receberão o nome de "aqui"... Quantos e quais aquis se (me) encontram neste aqui de agora? O aqui é estar e é passagem. Quantos agoras aqui se (me) encontram? O inesperado pode ser revelador... Quando não podemos continuar seguindo na mesma direção, quando somos impedidos de repetir o caminho de sempre, da mesma forma de sempre, algo se desloca, nosso movimento interrompido tende a gerar novos movimentos.*

Olho para fora e há uma multidão de carros parados com gente dentro. *Gente fora e gente dentro?*

Onde é "aqui onde estou"? E pensar que este lugar no qual me encontro, e sou obrigada a ficar e seguir nele, nem seria percebido se tudo acontecesse conforme o esperado. Ao sair de onde estava, conforme o script, passaria por aqui sem me dar conta de que estava passando por aqui. O lugar que não passa, não muda com o tempo, a permanência neste lugar onde estou, e percebo que estou, me revela minha inconsciência da minha inconsciência.

Caramba! Há tanta coisa que a gente não sabe que não sabe! E se este fosse (for) meu último lugar? Este é meu mais recente lugar. O tempo que passo aqui além do tempo esperado de ficar aqui faz brotar olhares, escutas sobre estar aqui e sobre o lugar onde estou. Este é o lugar onde estou. E o que é o "lugar onde estou"? E como é este lugar onde estou? Onde estou neste lugar onde estou? Vejo-me vendo estar no lugar onde estou e descobrindo que nem sabia que ele existia até ter de ficar aqui, aqui onde estou. Há mais de uma leitura sobre o "onde estou". O lugar onde estou é sempre o lugar onde estou? É este aqui dentro onde (e de onde) me vejo vendo. Estou onde estou até não estar mais. É a descoberta de descobrir. Isso tem o tamanho minúsculo do buraquinho no telescópio no qual colocamos o olho para olhar o céu. E tem o tamanho da surpresa de quando, com o olho no buraquinho do microscópio, vemos um fio de cabelo. É tão difícil de explicar e traduzir. O que dizemos é uma tentativa de comunicar, uma maneira de dizer alguma coisa sobre alguma coisa, não é "a coisa"; o que dizemos vem da nossa intenção de dizer, é o que vemos e tentamos expressar. A palavra é algo que temos para construir (e desconstruir!) pontes entre dentro e fora, e dentro e dentro, para t(r)ocar descobertas (d)e jornadas por entre os nossos silêncios e maravilhamentos, para descobrir e cobrir realidades, para descobrir e cobrir o mundo.

    A essa altura, vindo inesperadamente do inesperado, os versos do poeta Manoel de Barros[1] me interrompem esse tanto pensar, e me atropelam na contramão: "Só não desejo cair em sensatez. Não quero a boa razão das coisas. Quero o feitiço das palavras." O topo da minha cabeça já estava fervendo antes desses versos chegarem para abrir uma janela e deixar entrar uma brisa e alguns pingos de chuva. Respirei, engatei uma primeira marcha e fiz mover o carro, um pouquinho, pois o congestionamento começava a se dissipar. Ah! a poesia, o poetar e os poetas: esses cantantes passarinhos peregrinos dos caminhos por dentro de si/nós mesmos...

Foram muitas as vezes em que o carro parado em um engarrafamento me levou em "viagens". Em que me vieram e fui em viagens/reflexões. Alguns engarrafamentos duraram "uma" eternidade. Em um desses:

> – Quantos segundos tem a eternidade? – perguntou o rei.
> E o pastorzinho respondeu:
> – Na Pomerânia Oriental há a Montanha de Diamante, que tem uma hora de altura, uma hora de largura e uma hora de profundidade; cada cem anos vai um passarinho afiar o biquinho nela. Ora, quando ele tiver gasto toda a montanha, então, terá passado um segundo da eternidade.[2]

Conversei com o passarinho: "gasta-se o bico, gasta-se a montanha, mas a eternidade...". E ele respondeu: "a eternidade?! A vida é uma piscadinha da eternidade. A vida é um instante." E, o poema entrou na conversa:

> A vida cotidiana é um instante
> de outro instante que é a vida total do homem
> mas por sua vez quantos instantes não há de ter
> esse instante do instante maior
> [...]
> a vida cotidiana também é uma soma de instantes
> algo assim como partículas de pó
> que seguirão caindo num abismo
> e contudo cada instante
> ou seja cada partícula de pó
> é também um copioso universo
>
> com crepúsculos e catedrais e campos de cultivo
> e multidões e cópulas e desembarques
> e bêbados e mártires e colinas

e vale a pena qualquer sacrifício
para que esse abrir e fechar de olhos
abarque por fim o instante universo
com um olhar que não se envergonhe
de sua reveladora
efêmera
insubstituível
luz.³

A aceleração nos dias de hoje, a pressa nos apressando. E, justo nesses tempos de pressa, os engarrafamentos.

As sessões de psicoterapia têm similaridades com engarrafamentos e reverência ao instante. Muitas vezes, eu disse a alguns pacientes: "Agora não precisamos 'fazer' coisa alguma, só estar aqui, quietos e disponíveis. Ficar para poder andar. Só isso. Só tudo isso." Psicoterapia tem afinidades e afinações com "estar" na busca do "ser" e do "não-ser". "Estar entre (Junto? Juntando? Separando?) de onde viemos e para onde vamos (não necessariamente nessa ordem)." Afinidades e afinações com "aqui e agora". O "fazer é de uma natureza especial". É um "fazer" que traz em si o "não-fazer". É um render-se ao tempo – um "tempo singular". Entrar pelos seus labirintos e descobrir tempos no tempo. Tempos de fim e tempos de começo. Tempos de meio. Acompanhar o fluxo que se apresenta. E trabalhar com ele. Parar para alcançar e ser alcançado por algo revelador e misterioso. Abrir-se para o "não sei", e o "não é"... o que "está sendo". Render-se para conquistar a presença/dádiva de um olhar. Render-se para conquistar a presença/dádiva de uma escuta. **Criar.** Criar uma intimidade com a Voz e com o Silêncio. E com cintilâncias súbitas.

Passamos um tempo enorme morando espremidos na fachada, do lado de fora, da nossa casa interior, em muito movimento, muitas atividades e acelerados. Indo para lugar nenhum e vindo de lugar nenhum. Outras vezes, perambulamos sem percebermos ou darmos importância ou sentido ao que fazemos e às nossas vidas. Podemos passar tempos inertes, cansados, afogados na "preguiça de viver" e sem inspiração que nos salve. Paramos para estar em uma sessão de psicoterapia, para encontrar portas, janelas e passagens para dentro da nossa casa de dentro, conexões entre fora/dentro, e ali (*deo concedente...*) podemos "receber a visita" dos nossos abandonos e do que ainda está Vivo e segue brotando nas/das nossas ruínas. Encontrarmo-nos com o que o manto da inércia e/ou correria dos dias torna invisível e inaudível corre o risco de ser tão impactante...

Muitas vezes, quando me sento diante de um paciente, me dou conta de que, naquele mesmo momento, muitas outras pessoas, em vários lugares do mundo, estão fazendo uma pausa para viver a experiência de um ser humano diante de outro ser humano, em rito de cruzar soleiras de portas e atravessar portais de si mesmo para alimentar escuta(s), profundidades, horizontes e transformações. Sentamo-nos todos diante do imenso mistério de "Existir", para que possamos escutar e escrever, dentro e fora de nós, nossa existência. Em silêncio, peço licença e proteção para entrar e participar do mandala da escuta, e faço uma pequena oração: "Que D. Escuta esteja conosco. Que assim seja para nós. Que assim seja para vós."

Notas

[1] BARROS, Manoel. *Poesia completa*. São Paulo: Leya, 2010. p. 370.
[2] GRIMM, J. Ludwig; GRIMM, Wilhelm. *Contos e lendas dos irmãos Grimm*. São Paulo: Edigraf, 1963. (Coleção Completa, v. VIII). p. 156.
[3] BENEDETTI, Mario. *Inventário*: poesia (1950-1985). Madrid: Visor Libros, 2005. p. 105-106.

vagalume III

Há um grande silêncio que está sempre à escuta...[1]
Mario Quintana

» E há uma grande escuta que está sempre em/no silêncio?

» Onde silêncio e escuta se encontram? Onde silêncio e mistério se encontram? E onde se desencontram?

» O que dentro de nós escuta? O que nos escuta?

» O que fala dentro de nós?

» O que em nós reflete e escuta o que fala?

» O que em nós cala?

» O que, dentro de nós, experimentamos como silêncio?

» O que, dentro de nós, experimentamos com o silêncio?

» Do mistério do silêncio brotam escuta(s) e palavras?

» O silêncio aponta para o antes de tudo e o depois de tudo. Para o "não-tempo"? Não fosse o tempo, existiríamos? (Somos uma gotinha de tempo no espaço? Somos um "espaço de tempo"?)

A palavra humana é eco da Palavra de Deus, é ressonância da Palavra Primeira, como os Tupi-Guarani costumam dizer. O nome de Deus é Ñmandu, que significa o Todo Ouvir ou a Grande Escuta. Ele criou todas as palavras que ganharam forma e corpo nos seres existentes da criação. Por isso, cada um fala e canta a partir da palavra que guarda dentro de si mesmo.[2]

Hoje, massacrados, destituídos e errantes, os Tupi-Guarani escondem sua riqueza espiritual sob uma capa delicada de silêncio. Continuam a cantar, apesar de as vozes serem cada vez mais fracas. Mas à força de escutar, sabem cantar também em silêncio. Por causa do canto e da escuta atenta de todas as vozes, vivem e sobrevivem e testemunham uma especial sabedoria de conviver amorosamente com todas as coisas. Escutam Ñmandu, o Todo-Escuta, em cada ruído, em cada eco e em cada ressonância da vida, da natureza, das pessoas. É o que lhes permite resistir e sobreviver.[3]

Notas

[1] QUINTANA, Mario. *Poesia completa*. Rio de Janeiro: Nova Aguilar, 2005. Volume único. p. 469.

[2] BOFF, Leonardo. *O Casamento entre o céu e a terra:* contos dos povos indígenas do Brasil. Rio de Janeiro: Salamandra, 2001. p. 94.

[3] Ibid., p. 97.

vagalume IV

"O tempo perguntou ao tempo quanto tempo o tempo tem. O tempo respondeu ao tempo que só com o tempo o tempo poderá dizer ao tempo quanto tempo o tempo tem."

(e se a gente experimentasse colocar nosso nome nessa parlenda?)

O poeta

Venho do fundo das Eras,
Quando o mundo mal nascia,
Sou tão antigo e tão novo
Como a luz de cada dia.[1]

Nota

[1] QUINTANA, Mario. *Poesia completa*. Rio de Janeiro: Nova Aguilar, 2005. Volume único. p. 760.

vagalume V

Certa vez, no teatro, assistia "Dissidente" – peça com texto de Michel Vinaver. Em cena, os dois personagens, mãe e filho, discutem. O filho se cala e sai bruscamente de casa. A mãe, como quem atira uma pedra, grita: "Aonde você vai?" A resposta foi o som forte da porta se fechando.

A pedra-pergunta ficou vibrando e ecoando no silêncio. Em cena, os dois personagens: pergunta e perguntante. Pergunta e perguntante sustentando-se, encarando-se, confrontando-se. A pergunta da mãe para o filho, em uma cena de teatro, foi além. Veio. Quando o outro sai de cena, ficamos nós mesmos com nossas perguntas. E o que sai de nós nos revela. "Aonde você vai?" é pergunta de quem ficou. Pergunta de quem se viu ao ficar? Sem o outro, nossas perguntas miram na nossa direção e nos interRogam.

O silêncio fez crescer a pergunta e desaparecer paredes e tudo o que era espaço ("aonde") literal. Era um silêncio que revelava uma ausência. Ausência de resposta. Um estar inesperadamente só. Silêncio derrubou a ampulheta do tempo que, deitada, rodopiou vertiginosamente sobre si mesma. Nisso, de repente, a pergunta fez-se flecha, transformou o silêncio em arco, e dele lançou-se, sobre nós.

Interrogava cada um ali presente: "Aonde **você** vai?"

Já tinha experimentado antes, e acontecia de novo, de a pergunta me atingir, me atravessar e me levar até o lugar onde a interrogação é escuta infinita. E lá ia eu, cAlada e colada à veloz e imóvel pergunta. O silêncio e a amplidão eram entorno e recheio.

"Aquilo" não era pergunta de ir buscar resposta. Era pergunta de escutar pergunta. De revelar o Perguntar. O perguntar-se. O dar-se conta de que definitiva é a voz da pergunta e que a Terra é uma bolinha solta no ar, e nós humanos, um pontinho interrogante no cosmo. Uma pergunta *matrioska* infinita. O Mistério me envolveu em seu líquido amniótico e trouxe as Reflexões...

E as Reflexões disseram que perguntas podem ser pedras, setas, bumerangues e zarabatanas disparadas pelo sopro humano. Também podem ser a ponta da agulha da bússola. Podem ser levadas e podem nos guiar ao fundo do sem-fundo e "ao infinito e além", e nos trazer de volta (será que tem volta?) e nos colocar em contato com o próprio magma da Vida (e da Morte) em nós. Sem o *quê-quem-onde-quando*, sem contexto previamente combinado e supostamente conhecido, (in)certas (todas...?) perguntas podem soar inquietantes. "Quem fala? Como vai? Onde você está? Onde você mora? Onde é sua casa?"... Tão corriqueiras.... Corriqueiras?! Se apontarem para o peito de quem pergunta – *ulalá*! – apontam para a nossa incompletude, nos conduzem à "cintilância dos escuros", à nascente da fonte misteriosa da Vida. Tudo pode ficar numinoso e conversar conosco e apontar para o nosso próprio Mistério – um cisquinho do Mistério Maior.

Perguntas podem ir e vir. Abrem o "entre", riscam linhas que estabelecem/revelam fronteiras: o espaço de separação e encontro. Apagam linhas/fronteiras. Estão em tudo. E podem "desterritorializar" o conhecido. Podem destruir mundos e o chão embaixo dos nossos pés, e... reconstruí-los, e... de n'Ovo... Perguntas são mães e filhas de apocalipses e gêneses (não necessariamente nessa ordem). Mães, filhas e irmãs da consciência que conversa com o inefável. Mães e filhas de nós. E de "nós". Um elo pequeno e invisível entre o "comum" o "em comum" e o "incomum".

Pergunta pode ser ponte e abismo, queda e travessia. Sempre podem nos abismar, as perguntas. O perguntar pressupõe interlocução. Perguntas podem ir e vir e rir de nós.

? ? ?

Escute, só.... Cessaram os ruídos comuns e as vozes que aqui havia quando cada dia era como o outro. Tudo parou para ver, para dizer adeus... Não é silêncio. É um mistério que está no ar.[1]

Nota

[1] ALVES, Rubem. *Reverência pela vida:* a sedução de Ghandi. Campinas: Papirus, 2006. p. 13.

vagalume VI

» **Já experimentou** andar de olhos fechados em sua própria casa?

» **Já experimentou** correr de costas, de olhos fechados e braços abertos, em uma praia deserta?

» **Já experimentou**, em uma rua supermovimentada, parar e fechar os olhos por alguns segundos?

» **Já experimentou** fechar os olhos e deixar-se guiar por alguém, em um lugar que não seja sua casa?

    Os segundos em que estiver fechando os olhos, e os que se seguem logo depois de fechá-los... esse tempo, fique um pouco nele e deixe-se abrir a perceber-se. Confinamento e Imensidão podem vir conversar...

» **Já experimentou** o escuro total, de olhos abertos?

» **Já experimentou** deitar-se no chão e, ali deitado, olhar para o céu?

» **Já experimentou** fechar os olhos e escutar os segredos e as histórias das solas dos pés? Já experimentou escutar as histórias dos nossos passos, as que a pele da sola dos pés guarda do encontro e da escuta da pele do chão? Como é trilhar caminhos e andar também por dentro de nós? Como é pôr o pé no chão, "o chão" que em nós guarda as raízes e os mortos e o mistério da vida nas sementes em gestação? Ah, quanto tempo passamos longe de nossos próprios passos!...

Eu queria só descobrir e não descrever.
O imprevisto fosse mais atraente do que o dejá visto.
O desespero fosse mais atraente do que a esperança.
Porque o desespero é sempre o que não se espera.[1]

Nota

[1] BARROS, Manoel. *Memórias inventadas:* a segunda infância. São Paulo: Planeta do Brasil, 2006. Não paginado. Poema Aula.

vagalume VII

"A poesia quando chega não respeita nada!
A poesia quando chega não respeita nada!
A poesia quando chega não respeita nada!"[1]

Integrantes da Companhia Subversiva de Dizedores de Versos – grupo do qual faço parte – costumávamos começar nossas apresentações entrando em cena, como uma invasão repentina, irreverentes, os braços abertos, andando rapidamente nas várias direções, repetindo em voz alta os versos de Ferreira Gullar para as pessoas presentes.

Assim por muitas e muitas apresentações. Até que um dia...

Um dia, estava exausta e tínhamos apresentação. Começamos com o poema de sempre. Com os versos de sempre. Da forma de sempre. Disse uma vez como sempre: "A POESIA QUANDO CHEGA NÃO RESPEITA NADA!"[2] Quando fui repetir, o cansaço tirou a força do movimento para fora e escutei os versos como o reverberar das badaladas de um sino remoto que atravessaram lonjuras e, de repente, falaram para mim e só para mim. Não segui o "de sempre". A voz foi diminuindo de altura, os braços desceram, minhas mãos se juntaram sobre o peito, parei, e, com a cabeça baixa, murmurei: "A poesia **quando chega** não respeita nada".[3] Apertei mais fortemente as mãos sobre o peito, repeti a escuta do verso e cheguei em mim e percebi que estava aberta a porta da casa para D. Poesia.

A Poesia, sem avisar, desatou-se do "de sempre". Em um gesto quase violento, me puxou para mim e para dentro. A poesia, quando chega dentro de nós, desata-nos. Desnuda-nos. Causa estranheza e intimidade e vice-versa. Podemos ter a sensação de que um segredinho de D. Vida pisca seu olhinho para nós. Algo minúsculo e imenso – não necessariamente nessa ordem...
O cansaço deu lugar à força dos começos.

> A poesia
> quando chega
> não respeita nada
>
> quando ela chega
> de qualquer de seus abismos...[4]

Meu pai dizia poemas. Não declamava. Dizia. Era como se estivesse contando um causo de sua própria vida. Alguma coisa no jeito dele de dizer poemas tinha um toque especial, e não estava só na fala. Estava também na escuta. Era visível como ele cuidava da relação do par fala-escuta, e como esse par estava presente nas suas narrativas. Ia dizendo os versos e dizendo também como era atingido e como se encantava com a beleza poética das imagens. Costumava dizer: "Eu fico admirado como é que o camarada pega o invisível e pinta um quadro, com palavras!" E fazia uma ressalva: "Não é todo poema que tem poesia, tem poema que é perfeito na métrica de seus versos, mas não tem nenhuma poesia. E tem coisa que não é poema, não tá nem escrito, e tem poesia."

Ele gostava de poesia, causos, música (as que tinham poesia) e charadas e pegadinhas verbais. Dizia que "pra resolver uma charada, o camarada tem de saber ouvir".

E como ninguém é uma coisa só, muitas vezes acontecia o fenômeno descrito por minha mãe: "Seu pai, se é de tentar entender, trabalha o juízo pra não entender."

Meu pai dirigia o fusca com o rádio ligado e a família toda junta, aos finais de tarde. Saíamos para buscar o pão e dar uma volta pela cidade. E pelas canções do rádio. De repente, no meio de *Chão de estrelas*[5] (Orestes Barbosa e Silvio Caldas) meu pai dizia entusiasmado e emocionado: "Olha isso: 'a porta do barraco era sem trinco, e a lua furando nosso zinco salpicava de estrelas nosso chão', isso é lindo!" E aquela lua furava o carro todo e salpicava estrelas na gente...

Passou o tempo. Muito tempo depois daqueles finais de tarde dentro do fusca, chegou o tempo em que ele ficou muito doente, bem fraquinho. Hospital. UTI. Enquanto ainda falava, com uma vozinha de sopro, me lançou uma charada: "Filha, até quando a gente entra na floresta?" Meu pensamento estava só nele e não consegui entender a pergunta. "Não sei, pai." E ele sussurrou: "até a metade...". Nesse momento, meu *juízo trabalhou* rápido e a compreensão me alcançou a tempo de falar junto com ele: "depois, a gente já começa a sair". Com os olhos fechados, deu um sorrisinho. Oito dias depois, saiu deixando porta aberta, e sem trinco, para a poesia...

Nota

[1] GULLAR, Ferreira. *Poesia completa, teatro e prosa:* volume único. Rio de Janeiro: Nova Aguilar, 2008. p. 295.

[2,3 e 4] GULLAR, Ferreira, loc. cit.

[5] BARBOSA, Orestes; CALDAS, Silvio. Chão de estrelas. Intérprete: Nelson Gonçalves. In: NELSON GONÇALVES. *50 anos de boemia.* São Paulo: RCA Victor. CD, v. 1. Faixa 13. A história dessa música é apresentada em <http://museudacancao.blogspot.com.br/2012/11chao-de-estrelas.html>. Podemos encontrá-la na voz de Nelson Gonçalves no endereço: www.youtube.com/watch?time_continue=28&v=BrpelAJMgOM

vagalume VIII

O grupo Companhia Subversiva de Dizedores de Versos nasceu de laboratórios de poesia falada da Escola Lucinda de Poesia Viva. Estudamos poesia e nos apresentamos dizendo poemas. O trabalho é, antes de falar/dizer o poema, conhecê-lo, amadurecê-lo lendo-o muitas vezes e de várias formas. As leituras são uma jornada de busca pela casa do poema, é entrar e caminhar por dentro da casa do poema. Percorremos palavras, versos, estrofes, vírgulas, reticências, pontos, ausência de vírgulas e pontos, entrelinhas, até... Até que a Poesia nos surpreenda e converse conosco e fale dela mesma e de nós. Esse é nosso trabalho com a Poesia, buscar e abrir-se/disponibilizar-se, para encontrar e ser encontrado. É entrar pelo poema e deixar que ele entre na gente, conviver com ele e aguardar pela Poesia que se dará à luz e nos fará morrer e renascer. É um "[...] escutar entre as paredes uma boca de plumas murmurante".[1]

Um dia, escrevendo o nome do grupo – "Companhia Subversiva de Dizedores de Versos" – em um texto para divulgar um recital, veio inesperadamente "uma vozinha interna" que disse: "O que corre sob a terra é subterrâneo, o que corre sob as águas é subaquático, o que corre sob os versos é... SUBversivo!"

Uma noite, indo para a reunião do grupo, passei em frente ao portão de entrada da garagem de um prédio e lá estava o aviso que se encontram em muitos portões de entrada: "Baixe os faróis. Acenda a luz interna e identifique-se." Era a "infinitésima" vez que lia esse aviso. Infinitésima que se tornou a primeira quando a Poesia dissolveu o contexto conhecido e externo e falou delicadamente: "Se quer entrar em minha casa, baixe os faróis, acenda a **luz interna** e identifique-se." Desde então, esse aviso é também um convite à escuta do sussurrar da Poesia que transforma portões em "portais de entrada".

Alguma semelhança com o trabalho da psicoterapia? Abrir--se para "a revelação do 'bom poema'" de que nos fala o poeta?

A revelação

Um bom poema é aquele que nos dá a impressão de que ele está lendo a gente... e não a gente a ele![2]

Notas

[1] HILST, Hilda. *Exercícios*. São Paulo: MEDIAfashion, 2012a (Coleção Folha. Literatura íbero-americana, v. 24). p. 173.

[2] QUINTANA, Mario. *Poesia completa:* Rio de Janeiro: Nova Aguilar, 2005. Volume único. p. 532.

vagalume IX

Lícia veio para psicoterapia por conta do temor (e do desejo de evitar) que a dor estivesse voltando e se repetisse a fase insuportável. Um ano antes de vir, muitas dores no corpo levaram-na a um afastamento do trabalho, com o diagnóstico de fibromialgia. Em uma sessão em que falava das experiências de mal-estar no seu corpo:

Lá em casa, minha mãe era bastante liberal em muitas coisas, mas o horário de voltar para casa no domingo à noite era inegociável: no máximo às 22 horas.
Aos 17 anos, engravidei, casei e fui morar com meu marido. Um mês depois de casada, era um domingo, e a gente estava indo a uma festa de aniversário que começava às 23 h 30 min. Quando entrei no carro, às 23 horas, comecei a tremer e a passar mal. Depois de um tempo, descobri que me sentia daquele jeito só porque estava saindo de casa naquela hora.

Fez uma pausa e o silêncio entrou, e "aquele silêncio escutante", que junta estranheza com familiaridade, envolveu/emoldurou esse pedacinho: "[...] me sentia daquele jeito porque estava saindo de casa naquela hora". Ficou "no ar": "estava saindo de casa naquela hora". Depois de um tempo, para escutar melhor, perguntei: "você disse que se 'sentia daquele jeito' por quê?" E ela: "porque estava saindo de casa naquela hora". Perguntei: "e o que(s) seria(m) 'sair de casa' para você?"

A pergunta ficou vibrando e ecoando no silêncio. E o silêncio fez crescer o perguntar. O perguntar abriu uma brecha no tempo e no espaço dos referenciais externos, literais. E o perguntar deu a mão ao escutar... e uma pequena epifania se fez presente. "Sair de casa" é coisa que mora, desde tempos imemoriais, na experiência humana. Na sensibilidade humana. Sem combinação prévia começamos a sussurrar, cada uma consigo mesma e junto com a outra:

"Estava saindo de casa naquela hora"

"O que 'casa' simboliza?"

"Como vivemos/sentimos a experiência de sair de casa? Como saímos de casa?"

"O que ficou de mim na casa que deixei para trás?"

"Como traduzir o que é sair de casa? O que é 'sair'?"

"Quando saímos, o que acontece?"

"Qual é a hora de sairmos de casa? E, 'a casa' sai de nós?"

"O que muda quando 'saímos de casa'?"

"O que chamamos de 'de casa', 'estar em casa', sentir-se 'em casa'?"

"'A casa em que moramos' ... a casa que 'mora em nós'?"

"O que percebemos que 'era' quando já 'não é mais'?"

"O que significa "saber e sentir" que saímos de casa? E o que "fazer com" esse saber e sentir?"

Depois, nos calamos. Aguardamos o silêncio novamente dar lugar à voz e à fala. Lícia trouxe uma reflexão, "a gente fala e nem escuta o que fala... meu corpo também fala e também é casa...". Um suspiro fundo nos atravessou na mesma hora e terminamos a sessão com a leitura de dois poemas:

Com seus olhos estáticos na cumeeira
a casa olha o homem.
[...]
Comove Deus
a casa que o homem faz para morar,
Deus
que também tem os olhos
na cumeeira do mundo.
Pede piedade a casa por seu dono
e suas fantasias de felicidade.
Sofre a que parece impassível.
É viva a casa e fala.[1]

A casa está morta?
Não: a casa é um fantasma,
um fantasma que sonha
com sua porta de pesada aldrava,
com seus intermináveis corredores
que saíam a explorar no escuro os mistérios da noite
[...]
sim!
agora
a casa está sonhando
com o seu pátio de meninos pássaros.
A casa escuta... Meu Deus!
[...]
Casa que teima em existir
– a coitadinha da velha casa!
Eu também não consegui nunca afugentar meus
    pássaros...[2]

Conversa com as reflexões dessa sessão, a última estrofe de um poema de Paul Auster que se chama *Reminiscência de casa*:

> Fecharás teus olhos.
> No olho do corvo que voa à tua frente
> Vais te ver
> Deixar-te para trás.[3]

Entre essa sessão e a que se seguiu a ela, na reflexão sobre o caso, algumas coisas vieram: juntou-se ao "sair de casa" o "sair de casa **naquela hora**"; romper a fronteira da lei, da lei da mãe, e "desobedecer ao toque de recolher"? Como é estar fora (da lei?)? Era estar fora, ou muito dentro, da lei? Como é estar fora de uma lei que está muito dentro de nós?

Onde e como se juntam "sair de casa" com "nAquela Hora" e com o tremor no corpo?

O que se revelava no corpo que t(r)emia? O que trazia o t(r)emor? Qual era o (im)Pedido?

A pessoa voltou na sessão seguinte com um *insight*: *Sou cheia de regras e passo por cima da minha sensibilidade, preciso descobrir meus limites mais amorosamente. Quase não me ouço.*

> Tanto silêncio
> a ser trazido à luz
> nesta carne pensativa, o rufar
> do tambor das palavras de dentro,
> tantas palavras perdidas no vasto mundo dentro de mim [...][4]

Notas

[1] PRADO, Adélia. *Oráculos de maio*. São Paulo: Siciliano, 1999. p. 25.
[2] QUINTANA, Mario. *Poesia completa*. Rio de janeiro: Nova Aguilar, 2005. Volume único. p. 584.
[3] AUSTER, Paul. *Todos os poemas*. São Paulo: Companhia das Letras, 2013. p. 249.
[4] Ibid., p. 305.

vagalume X

Grávida. Primeira gestação. Deprimida, com crises frequentes de angústia e medo. Assim se apresentou Mércia, que veio se consultar encaminhada por sua obstetra – Cláudia.

Mércia e o marido eram de outro estado e foram para Salvador por conta do trabalho. Ela sentia muita solidão, falta da família e dificuldade de conversar com o marido. As duas primeiras sessões foram tensas, cheias de silêncios inquietos, ela chorava muito e me olhava com olhos de animal ferido e acuado, como se, ao mesmo tempo, pedisse socorro e avisasse "não se aproxime!" Dizia que não se reconhecia, que nunca tinha sido assim ou se sentido assim, queria "voltar a ser eu mesma novamente: esta não sou eu!" Uma coisa inusitada foi repetidamente acontecendo até ficar um tanto constrangedora: nessas sessões, eu só a chamava de Cláudia. Não tinha jeito, era querer dizer "Mércia" e da minha boca pulava "Cláudia". Só conseguia chamar Mércia de Mércia se me concentrasse muito antes de dizer seu nome.

Na terceira sessão, quando me ouvi novamente dizendo "Cláudia" no lugar de Mércia, considerei as palavras de Jung e achei melhor "assumir uma atitude consciente que permita (permitisse) a cooperação do inconsciente em vez de sua oposição"[1] e comecei um diálogo silencioso com o que insistia em trazer "Cláudia". Fiz uma mini-imaginação ativa, *Gente, eu tenho boa memória para nomes, preciso parar de chamá-la de "Cláudia". "Cláudia" é o nome da obstetra. Para que chamar Mércia de Cláudia? O que está acontecendo aqui?!* A resposta que veio de "lá de dentro" foi uma pergunta rápida e irônica: "a única Cláudia do mundo é a obstetra?"

Respirei fundo. De fato, incialmente considerei que a "única Cláudia" ali era a obstetra e o que acontecia era um equívoco da minha parte. Tentei "corrigir", mas não foi possível. Alguma "Cláudia" insistia em se fazer presente através de mim, da minha boca e da minha voz. Naquele contexto, eu era a testemunha da sua presença. Uma presença que trazia um incômodo porque a "ausente" se tornava mais presente que a presente. Em algum lugar, Mércia e Cláudia estavam juntas, mais que isso, em algum lugar Mércia era Cláudia.

Poderia ser algo "ligado aos meus conteúdos"? Poderia. Se assim fosse, levaria para análise e supervisão. Poderia ser algo além de mim e que falava através de mim? Poderia. O que de fato acontecia é que a consciência "foi intimada" a registrar uma presença. Algo como: Cláudia. Ela está no meio de nós. Sendo assim, escolhi ir em busca da "Cláudia que se apresentava obstinadamente". Emoldurei a questão e compartilhei a interrogação: "Mércia, não costumo confundir nomes de pessoas, mas há algo acontecendo aqui e estou chamando-a insistentemente de Cláudia. Pode ser que essa troca de nomes tenha a ver mais comigo que com você e, se assim for, vou cuidar disso num outro contexto. Mas, preciso lhe perguntar uma coisa: o nome 'Cláudia' tem algo a ver com você ou com sua história?"

Ela imediatamente parou de chorar e me olhou entre perplexa e iluminada. Em silêncio. Parecia que um cronômetro tinha sido zerado e algo iria começar. Aprumei-me na cadeira para escutar. Ela me olhava e me olhava. Correspondi ao seu olhar. Nossos silêncios conversaram. E eu soube que "o que em mim não sabia", sabia algo. Mércia começou a falar devagar, contou que Cláudia era o nome que o pai tinha escolhido para ela, quando a mãe estava grávida. Tal escolha teria trazido uma crise porque assim se chamava uma ex-namorada do pai, a mesma com quem ele teria tido uma relação extraconjugal que tentou manter em sigilo, mas foi descoberta pela mãe de Mércia. Ao dizer isso, ela fez um pequeno silêncio e baixou os olhos fitando as próprias mãos que se apertavam e se torciam sobre a barriga. Retomou a fala e sua voz estava um pouco mais aguda. Sem me olhar, disse que não sabia quem era o pai do bebê que estava no seu ventre. Não sabia se a criança era do marido ou de um ex-namorado que tinha reencontrado inesperadamente em uma viagem de trabalho.

A "Cláudia incluída" trazia um fio dos novelos de Ariadne. Difícil fazer qualquer afirmação nesse caso, então, vamos apenas conjecturar. Algo "queria" se comunicar? Ouso dizer que sim. Naquele campo composto pelas nossas presenças – Mércia, Cláudia e eu – minha voz e meu ouvido foram escolhidos para dar voz ao silenciado, ao segredo incômodo? Não posso afirmar. Também não ouso negar. Eu nada sabia por meio da consciência. A consciência quase "destruiu a pista" traduzindo "Cláudia" para o conhecido – a obstetra – e tentando corrigir o "erro". Felizmente, a própria consciência, olhando para o que lhe acontecia, dobrou-se sobre si mesma, valeu-se do perguntar e abriu-se para a presença do que *ali-não-estava-e-ali-estava* e *ali-estava-e-ali-não--estava*. Como perguntei, não sei como teria sido se não tivesse perguntado. A pergunta pôde abrir para uma "chave oferecida". "Cláudia" era nome e história. Era um contexto.

Mas qual seria o sentido de acontecer dessa forma?

Também aqui só podemos conjecturar. Mércia era extremamente objetiva e prática nas suas decisões e leituras da vida e de si mesma. Como alguém que morasse no sótão de uma casa e acreditasse que nada havia além do sótão. Até que, um dia, acontece um incêndio no andar de baixo que põe em risco a casa toda, inclusive, e especialmente, o sótão e sua vida... Ao lidar com o incêndio, a pessoa descobre a casa com seus porões e o sótão como a parte da casa onde, sem saber, vivia (quase) reclusa. Mércia foi chamada à Vida ao ser atingida pela experiência da vida da sua Morte ("esta não sou eu!"). Depois do que chamamos "a revelação", ela deu-se conta de que havia muito mais coisas desconhecidas do que podia supor além das fronteiras conhecidas e dos horizontes que seus olhos alcançavam. Reduziu-se e ampliou-se e vice-versa. Começou a cultivar e desenvolver uma relação de inclusão com os próprios sentimentos, fantasias e intuições que jorravam aos borbotões e insistentemente.

Fizemos poucas sessões. Ela decidiu contar ao marido sobre o encontro com o ex-namorado e sobre sua angústia tanto pela gravidez quanto pela incerteza sobre quem era/seria o pai de seu filho. Para resumir, porque essas situações se desdobram em muitas outras, direi apenas que, junto com o tratamento e com as muitas conversas que tiveram, a relação se aprofundou, eles decidiram que criariam juntos o bebê, independente do resultado do exame de paternidade que seria feito. Resolveram deixar Salvador (*salva-DOR?*) e retornar ao seu estado de origem ("retornar ao seu estado de origem"?). Ela veio a uma última sessão para se despedir e dizer que a angústia ainda lhe habitava o peito e lembrava-lhe que o trabalho da psicoterapia deveria continuar, mas que sentia seu peito mais espaçoso para abrigar a angústia e a alegria. Falou baixinho que estava contente por duas coisas: por estar grávida e por estar contente em estar grávida.

Essa experiência com Mércia conversa bastante com a fala de Jung no seu texto sobre transferência:

> [...] [o psicoterapeuta] será obrigado a reconhecer que existem muitas coisas que sua cultura escolar nem sonhava que pudessem existir. Todo caso novo, que exige uma terapia profunda, implica trabalho pioneiro, e o menor traço de rotina acaba revelando-se como um caminho errado. Vê-se por aí que as formas superiores de psicoterapia são uma atividade extremamente exigente que às vezes levantam problemas, verdadeiros desafios não só à inteligência ou à compaixão, mas ao homem como um todo. O médico vê-se tentado a exigir esse compromisso total do paciente. No entanto ele tem que estar bem consciente de que uma tal exigência só será eficaz na medida em que ele souber que o mesmo é exigido dele.[2]

E conversa ainda mais com uma afirmação feita por Jung em outro texto sobre função transcendente:

> Um dos requisitos essenciais do processo de confrontação é que se leve a sério o lado oposto. Somente deste modo é que os fatores reguladores poderão ter alguma influência em nossas ações. Tomá-lo (o inconsciente) a sério não significa *tomá-lo ao pé da letra*, mas conceder um crédito de confiança ao inconsciente, proporcionando-lhe, assim, a possibilidade de cooperar com a consciência ao invés de perturbá-la automaticamente.[3]

A voz subterrânea
Às vezes ouvia-se um canto surdo,
que parecia vir debaixo da terra.
Até que os homens da superfície,
[...]
puseram-se a fazer escavações.
Sim! Eram os homens das minas
que um desabamento ali havia aprisionado
E ninguém suspeitava da sua existência,
porque já haviam passado três ou quatro gerações!
Mas a luz forte das lanternas não os ofuscou:
[...]
Eles estavam cegos... e cantavam![4]

Notas

[1] JUNG, Carl Gustav. *Ab-reação, análise dos sonhos e transferência*. Petrópolis: Vozes, 2011b. (Obra Completa, v. 16/2). p. 61, § 366.

[2] Ibid., p. 61, § 367.

[3] JUNG, Carl Gustav. *A natureza da psique*. Petrópolis: Vozes, 2011c. (Obra Completa, v. 8/2). p. 35, § 184, grifo do autor.

[4] QUINTANA, Mario. *Poesia completa*. Rio de Janeiro: Nova Aguilar, 2005. Volume único. p. 601.

vagalume XI

Quem ouve quem fala? Quem fala? Quem ouve quem houve? Quem há? Quem há de falar? Quem escuta quem fala? Quem há de escutar?

Num poema chamado *Revelação*, Viviane Mosé conta, em tom de segredo, por "medo que as pessoas se desequilibrem delas mesmas", que

> A verdade é que a palavra, ela mesma, em si própria,
> não diz nada.
> Quem diz é o acordo estabelecido entre quem fala
> e quem ouve.
> Quando existe acordo existe comunicação,
> Mas quando este acordo se quebra ninguém diz mais nada,
> Mesmo usando as mesmas palavras.[1]

Nota

[1] MOSÉ, Viviane. *Toda palavra*. Rio de Janeiro: Record, 2006. p. 25.

vagalume XII

Nos tempos em que fui paciente de análise no divã, com analista lacaniano, estava trabalhando um tema do feminino em mim, cheguei em um conteúdo importante e difícil (naquele momento) de ser dito/revelado. Um desses núcleos que "fazem contato", quando não estamos na sessão. Levei para a sessão. Precisava falar para trabalhar, mas sentia-me frágil. Há temas que são tabus, e o fato de a gente romper o "pacto de silêncio" já nos deixa em posição vulnerável. Por conta disso, antes de trazer o conteúdo, disse ao analista que seria prudente tanto para ele quanto para mim que fizéssemos como Odisseu, e cada qual se amarrasse ao mastro para ouvir, sem sucumbir, ao canto das sereias. Em silêncio ficou o analista. Eu trouxe o conteúdo. Quando a voz do analista se fez presente, disse: "Mas Odisseu não só pediu que lhe amarrassem ao mastro, ele também tapou os ouvidos." Aconteceu, então, uma discussão sobre se Odisseu ouviu ou não o canto das sereias. O tema da sessão migrou para os ouvidos de Odisseu – escutantes ou intencionalmente impedidos de escutar? E a sessão chegou ao fim quando o analista disse já ter estudado a *Odisseia* em grupos de estudo.

Saí. E a sessão não saiu de mim. Fiquei assistindo no meu escuro uma girândola chispante de pensamentos, sentimentos, sensações, imaginações e perguntas. Meu silêncio recolhia e guardava cada chispa, cada luzinha, e trazia para eu poder olhar. Um silêncio cauteloso que buscava identificar cada movimento interno, cada coisa que se apresentava. Um silêncio pai, filho e irmão da escuta. Se as sessões são pontos de abastecimento no/do processo de psicoterapia, foi um abastecimento e tanto essa sessão. O trabalho estava apenas começando...

Ao chegar em casa, fiz o mais previsível e inútil dos gestos: corri para o livro. Abri a *Odisseia* e lá, no Canto XII, estava Odisseu narrando aos Feaces, na corte do rei Alcinoo, a advertência/orientação de Circe:

> Primeiro encontrarás as duas Sereias; elas fascinam todos os homens que se aproximam. Se alguém por ignorância se avizinha e escuta a voz das Sereias, adeus regresso! Não tornará a ver a esposa e os filhos inocentes sentados alegres a seu lado, porque com seu canto melodioso, elas o fascinam sentadas na campina, em meio a montões de ossos de corpos em decomposição, cobertos de peles amarfanhadas. Toca para adiante; amassa cera doce de mel e veda os ouvidos de teus tripulantes para que mais ninguém as ouça. Se tu próprio as quiseres ouvir, que eles te amarrem os pés e mãos, de pé na carlinga do barco veloz, e que as pontas das cordas pendam fora de teu alcance, para te deleitares, ouvindo o canto das Sereias. Se insistires com teus companheiros para te soltarem, que eles te prendam com laços ainda mais numerosos. Depois que teus companheiros tiverem remado para além delas, daí já não te posso dizer a seguir qual de dois caminhos será o teu; tu mesmo deves decidir a escolha.[1]

Depois, Odisseu transmitiu a mensagem de Circe à sua tripulação, e relatou:

Assim, pois expliquei tudo em detalhes aos meus camaradas, enquanto o bem construído barco avançava rápido rumo à Ilha das Sereias, impelido por brisa próspera. Depois, de repente, cessou a aragem; seguiu-se uma calma sem ventos; um nume adormentou as vagas. Os camaradas ergueram-se, amainaram as velas que depositaram no porão do barco, e sentados aos remos, coloriram de branco as ondas com o pinho polido. Entrementes, eu, com meu afiado bronze, cortei em pequenos pedaços um grande pão de cera e pisei-os com minhas robustas mãos; logo se aqueceu a cera e amoleceu com a grande força e com o calor de Hélio soberano, filho de Hipérion; um a um fui vedando os ouvidos de todos os companheiros; eles ataram-me de mãos e pés, de pé na carlinga, suspenderam fora de meu alcance as pontas das cordas e, sentados, feriram com os remos o mar cinzento.[2]

A consulta ao livro me confirmou um Odisseu escutante. Não foi bastante, porque o que acontecia não era coisa de resolver em uma confirmação entre o livro e eu. A não escuta seguiu acontecendo por um tempo nas sessões que se seguiram "àquela", e naquele tempo, ferida, ofereci o pior de mim. E, naquele tempo, encontrei um poema que, sem a "certeza de compreendê-lo" no que "a autora quis dizer" – e talvez exatamente por conta dos vários possíveis sentidos que encontrei nele –, caleidoscopicamente falava comigo e de como eu me sentia:

> Quando fui ferida,
> por Deus, pelo diabo, ou por mim mesma,
> – ainda não sei –
> percebi que não morrera, após três dias,
> ao rever pardais
> e moitinhas de trevo.

> Quando era jovem,
> só estes passarinhos,
> estas folhinhas bastavam
> para eu cantar louvores,
> [...]
> Mas um cachorro batido
> demora um pouco pra latir,
> a festejar seu dono
> – ele, um bicho que não é gente –
> tanto mais eu que posso perguntar:
> por que razão me bates?
> Por isso, apesar dos pardais e das reviçosas folhinhas
> uma tênue sombra ainda cobre meu espírito.
> Quem me feriu perdoe-me.[3]

Segui pesquisando leituras sobre sereias, o canto das sereias e os ouvidos de Odisseu. Descobri que o canto XII da *Odisseia* gerou muitos artigos e muitas versões e interpretações. A minha sessão também ativou um cenário interno no qual um vento forte folheava com dedos rápidos e com força, de frente para trás e de trás para a frente, as páginas do livro da minha história. Lia-me avidamente. Em meio a esse mar de leituras, nas quais fui buscar bússola, adotei um caderno preto para anotações. Precisava de interlocução para falar e me ouvir. A escrita nascia no/do silêncio e na/da tentativa de desenhar o som da palavra que se volatilizava e transbordava em mim. Essa escrita conversava com o verso de Manoel de Barros, "pelos meus textos sou mudado mais do que pelo meu existir".[4] E, assim, fui escrevendo as reflexões sobre o ocorrido e buscando compreender o que se passava comigo. Escrevi uma carta à Sra. "NãoEscuta":

Cara Senhora "NãoEscuta",

Escrevo-lhe por minha conta e risco. Não sei o que a senhora veio fazer nas minhas sessões. Escrevo-lhe justamente porque sei que não serei ouvida. Valho-me do atrevimento da ausência.

Quando ele – o analista – trouxe um Odisseu amarrado e de ouvidos tapados, muita coisa aconteceu, especialmente porque eu não esperava não ser ouvida pelo analista. Para não afundar atraída pelo seu canto, busquei mastro e cordas em leituras e escrita. Procurei na internet referências sobre algum Odisseu com ouvidos tapados e encontrei. Encontrei um texto no qual uma das sereias não suportou não ser ouvida e suicidou-se atirando-se do alto de um penhasco. Percebi que meu conteúdo não escutado corria risco de voltar ao inconsciente, de recolher-se às profundezas do mar daquela confusão. Tratei de guardá-lo, escrevendo.

Também na internet soube de um conto de Franz Kafka – *O silêncio das sereias* – no qual ele reconstrói de maneira peculiar e inusitada a cena da *Odisseia* narrada no canto XII. Começa assim: "Prova de que até meios insuficientes – infantis mesmo – podem servir à salvação: Para se defender das sereias, Ulisses tapou os ouvidos com cera e se fez amarrar ao mastro".[5] (Sra. "NãoEscuta", isso pode ser lido como uma dica?)

E o conto segue:

> [...] mas era sabido no mundo inteiro que isso não podia ajudar em nada. O canto das sereias penetrava tudo, e a paixão dos seduzidos teria rebentado mais que cadeias e mastro. Ulisses, porém, não pensou nisso [...] Confiou plenamente no punhado de cera e no molho de correntes e, com alegria inocente, foi ao encontro das sereias levando pequenos recursos. As sereias, entretanto, têm uma arma ainda mais terrível que o canto: o seu silêncio.[6]

Ao saberem dos ouvidos de Ulisses tapados com cera, as sereias não cantaram, mas sofreram e choraram e lhe ofereceram o seu silêncio.

Ulisses no entanto – se é que se pode exprimir assim – não ouviu seu silêncio, acreditou que elas cantavam e que só ele estava protegido contra o perigo de escutá-las. Por um instante, viu os movimentos dos pescoços, a respiração funda, os olhos cheios de lágrimas, as bocas semiabertas, mas achou que tudo isso estava relacionado com as árias que soavam inaudíveis em torno dele. Logo, porém, tudo deslizou pelo seu olhar dirigido para a distância, as sereias literalmente desapareceram diante da sua determinação, e, quando ele estava no ponto mais próximo delas, já não as levava em conta.[7]

Senhora "NãoEscuta", será que, como as sereias de Kafka, eu queria que meu analista me levasse em conta? Que seu olhar dirigido para a distância fosse dirigido também para a proximidade? Que me olhasse sem ter nos olhos a venda das suas teorias entre nós? Queria que ele escutasse também a mim e que não tivesse os ouvidos vedados com a cera da sua amada psicanálise? Queria que me escutasse tanto quanto a ela? Queria uma relação perigosamente erótica na qual ele despisse o olhar e me olhasse com os olhos nus? Queria! E esse querer se irmanava com o desejo não realizado das sereias do conto de Kafka.

Mas, Senhora "NãoEscuta", até no conto de Kafka, no qual os ouvidos de Ulisses, supostamente, estavam tapados, Ulisses ouviu.

O Ulisses de Kafka, enganou sereias e deuses porque fez uso do jogo de aparências: ele fingiu que atravessava o mar em par com a senhora, Sra. "NãoEscuta". Fazer-se de não escutante é uma forma de salvar-se? É uma forma de seguir viagem?

Que seja. Que seja.

Sim, devo admitir que sua presença me feriu tanto porque não foi nosso primeiro encontro. Talvez o inesperado de encontrá-la no santuário da escuta foi que me quebrou assim.

Fazendo da escrita mastro e remo para aumentar a chance de seguir viagem, refleti sobre o encontro com a senhora no meu caderno preto:

O meu analista trouxe um Odisseu amarrado ao mastro e impossibilitado de ouvir, com cera a lhe tampar os ouvidos. Trazia ele a presença da sua ausência. As sereias não pararam de cantar, nem os marinheiros de remar, e testemunhei um Odisseu obstinadamente surdo e imobilizado. Descobri que quando descobrimos que perdemos a presença do par na viagem, a própria viagem protAGONIZA e o que nos acompanha é a Ausência. Ausência d'O Outro (?). A ausência do Outro suposto presença nos conduz a nós mesmos. Esvazia-nos e nos multiplica. Brotam muitos Outros em nossa solidão. Assim, da solidão proliferam presenças de muitas escutas e muitos Outros em nós e além de nós. Assim, também nasceram as perguntas: Qual o lugar que nos damos na análise? Qual o contexto e o cenário em que estamos e em que contrapapel colocamos o outro? O que, e como, acontece conosco e com o processo quando o outro não confirma o lugar que por nós, inconscientemente, lhe foi dado?

Quando se desmorona o que não foi construído pela consciência muito se revela e nos revela. Quando o outro não confirma o 'seu' lugar, quando não atua 'de acordo com o esperado', podemos ser desterritorializados (andando na rua, à noite, e, de repente, a luz se apaga, naturalmente os ouvidos ficam mais aguçados?). Talvez seja possível afirmar que os desencontros são como o Acendedor (e Apagador) de Lampiões no Pequeno Príncipe. Aquele que se apresentou ao principezinho dizendo: 'eu executo uma tarefa terrível'. Os desencontros movem a psique e pedem nosso movimento. De repente, somos lançados no escuro e a consciência tem a oportunidade de perceber o contexto, o cenário e o drama em que estava posta sem saber. O inesperado inesperado revela o inconscientemente (in)esperado (?). Essas perguntas valem se estivermos nós como psicoterapeutas ou como pacientes. Essas perguntas revelam os caminhos que se abrem quando D. Vida nos acua em becos sem saída.

E, deixando o caderno preto de lado, sabe aquela parte da missa que diz: "O Senhor esteja convosco"? E a resposta: "Ele está no meio de nós"? Pois, agora, digo: "A Senhora 'NãoEscuta' está conosco. Ela está no meio de nós."

Dei umas três respiradas bem profundas e vi que sua presença é coisa antiga na humanidade...

Olha, já vou, viu? Vou conversar com Ñmandu, a Grande Escuta.

Escrever e ler essa carta me organizava. Fazia-me refletir sobre como me impactam as experiências e como é preciso sempre caminharmos para avançar e ir além do lugar que escolhemos para ser "o paraíso" – o lugar onde estamos inocentes e sem questões e longe da consciência que nos humaniza. Continuei a escrever no caderno preto e levava os escritos para as sessões. Aquela não tinha sido nossa primeira sessão nem o primeiro ponto nevrálgico que nos aconteceu. Com todos os desencontros e discordâncias, continuou válido, ainda por um tempo, nosso pacto de comunicação, confirmando, pelo contrário, os versos do poema de Viviane Mosé:

A palavra, ela mesma, em si própria,
não diz nada.
Quem diz é o acordo estabelecido entre quem fala
e quem ouve.
Quando existe acordo existe comunicação,
Mas quando este acordo se quebra ninguém diz mais nada,
Mesmo usando as mesmas palavras.[8]

Continuávamos nos comunicando mesmo não usando as mesmas palavras. Uma comunicação difícil, mas uma comunicação. Passamos algumas sessões, cada um em uma unilateralidade exagerada e perigosa, cada um entrincheirado em seus próprios argumentos. Em uma dessas sessões de muita fala e pouca escuta, o analista disse que, sendo os marinheiros uma parte de Odisseu e estando os marinheiros de ouvidos tapados, também estava Odisseu de ouvidos tapados. A essa altura, eu já estava mais interessada nas sereias que cantavam do que em ouvidos que não escutavam (nisso incluo especialmente os meus próprios). E, em uma experiência de sincronicidade, ao abrir um livro de Marina Colasanti, lá estava:

Para poder ouvir

Ah! quantas vezes
com cera algodão
resina ou barro
barrei os ouvidos
para melhor ouvir
minhas sereias.[9]

(Aqui, uma vinhetinha e uma "conversa paralela" para incluir um achado pitoresco. O *Dicionário Mítico-Etimológico* de Junito Brandão traz o verbete:

SEREIAS – Sereia em grego Σειρῆν (*Seirén*), não possui, até o momento, uma etimologia convincente. Segundo Carnoy, talvez o elemento primeiro seja indo-europeu "*twer*", "encadear", presente na palavra grega (*seirá*), liame, corda, laço, armadilha, donde Sereia seria aquela que encadeia, atrai os homens, sobretudo no mar.[10]

Curioso que os marinheiros, a pedido de Odisseu, usaram cordas (sereias?) para atá-lo ao mastro).

Se a escuta já era valiosa, depois dessa experiência (e graças também a ela), o valor da escuta multiplicou-se. Sempre e mais continuar a escutar como "minha escuta" escuta e aprender sobre/com meus "bastidores", minhas sensibilidades, minha cegueira, minha surdez, minhas limitações infinitas e minhas possibilidades. Tecer o caminhar com fios (confio!) do desconhecido desconhecimento, do conhecido desconhecimento, do conhecido conhecimento e do desconhecido conhecimento. O Outro, seja fora ou dentro de nós, é sempre terra e idioma desconhecidos...

Foi uma experiência difícil. Mas essa experiência faz um bom paralelo com a fala de Jung quando ele diz que "[...] a vida tem de ser conquistada sempre e de novo"[11] e que "[...] convém termos sempre presente que a vida do inconsciente prossegue seu caminho e produz continuamente situações problemáticas".[12] Também faz muito sentido quando Jung afirma que não há método universalmente aplicável.

Tenho mais afinidade com um "não sei" sincero do que com um "eu sei" autoritário (isso é coisa para mantermos vigília!).

Se eu estiver disposto a fazer o tratamento psíquico de um indivíduo, tenho que renunciar à minha superioridade no saber, a toda e qualquer autoridade e vontade de influenciar. Tenho de optar necessariamente por um método dialético, que consiste em confrontar averiguações mútuas. Mas isso só se torna possível se eu deixar ao outro a oportunidade de apresentar seu material o mais completamente possível, sem limitá-lo pelos meus pressupostos.[13]

Tudo isso foi (e ainda é) um treinamento e tanto para o trabalho com o método dialético proposto por Jung.
O que vivi com o ex-meu analista não é restrito ao vínculo e/ou ao contexto da psicoterapia. Somos todos vulneráveis a possessões, pontos cegos e pontos surdos, trabalhá-los em nós é uma labuta! E é o caminho. Jung diz que "[...] o que há de mais individual no homem é, sem dúvida, a sua consciência".[14] Consciência conquistada no trabalho com a sombra, com a consciência da vulnerabilidade da consciência quando ela está inconscientemente polarizada em excesso. O trabalho é de diferenciação, de poder olhar e lidar e acompanhar e confrontar o que nos acontece dentro, enquanto nos acontece. A dificuldade – a situação problemática – que traz o empurrão que nos possibilita (?) (impõe?) seguir a jornada, o treino à flexibilidade e à nova adaptação que vem quando somos desterritorializados – e vem se nos dispomos a trabalhar com o que nos ocorre –, não vem "com o tempo" ou com "a situação", vem como fruto do trabalho interior a que nos dedicamos o tempo necessário para chegarmos a uma nova situação/compreensão/integração interna. Só agora, depois de muito trabalho e de muitos anos, pude integrar alguns aspectos da fala do ex-meu analista lacaniano e a importância da coexistência, oposição, diferenciação e complementaridade entre a escuta de Odisseu e a não escuta

dos marinheiros no mesmo contexto. Há muitas possibilidades de leitura.

Trabalho fundamental é reconhecer quando estamos sequestrados e buscar resgatar-nos com aprendizagem sobre nossa vulnerabilidade, nossos recursos e nossos desatinos. Quando agonizamos enfeitiçados – possuídos –, faz diferença saber que em nós, na psique, junto com o que protagoniza, no mesmo contexto, há os coadjuvantes/coexistentes e é com eles que contamos para sobreviver e seguir.

Voltemos à *Odisseia*. O barco avança rápido impelido por uma brisa próspera. De repente, ventos, ondas e avanços vão cessando. Aproxima-se a Ilha das Sereias. Os marinheiros tomam providências: preparam as velas e põem-se aos remos. Odisseu toma providências: veda os ouvidos de cada um dos seus camaradas. Depois, atendendo à orientação do próprio Odisseu, seus companheiros o amarram, de pé, na carlinga do barco e, sentados, remam. Quando, tomado de desejo de ir ao encontro do canto das sereias, Odisseu pede aos companheiros que o soltem, dois deles se levantam e o prendem "[...] com laços mais numerosos e apertados".[15] Só quando tinham passado além das sereias e já não ouviam sua voz ou canto é que seus leais companheiros retiraram a cera dos ouvidos e soltaram Odisseu. Talvez essa passagem converse com a experiência de trabalhar a possessão e a estagnação, ela pode ser uma bela imagem de uma situação psíquica.

A proximidade do perigo se anuncia com o cessar dos ventos e das ondas. A calmaria que vai chegando é presságio de aproximação de território perigoso. Sabemos que nem todo perigo se anuncia e precisamos desenvolver a sensibilidade de perceber onde estamos, assim, podemos ter alguma chance de identificar as mudanças dos ventos no mar de dentro e de identificar a "proximidade de sereias". Precisamos perceber que, se não cuidarmos, em breve, seremos perigosamente "enfeitiçados" e atraídos a nos atirarmos nos braços de algum apelo destrutivo que se apresenta encantador e irresistível. Providências se fazem necessárias. Quais os recursos de que dispomos e sabemos que dispomos? Qual o trabalho a ser feito? O que seria o equivalente a resgatar as velas no porão e içá-las, a tomar os remos e remar? O que seria o equivalente psíquico a vedar os ouvidos para conter a parte que está mais vulnerável ao apelo destrutivo?

    A possibilidade de romper com a estagnação e trabalhar a possessão vem do fato de que: enquanto uma parte de nossa psique está sob efeito da atração do feitiço e é só impulso e irracionalidade, uma outra parte, de ouvidos tapados, não dá atenção à atração mortífera, mas dá contenção e refreia o nosso impulso de (auto)destruição e segue remando e nos afastando da zona perigosa. Considerando a proximidade de significado entre sereias e laços/armadilhas, e o fato do próprio Odisseu ter pedido que o amarrassem, podemos associar essa imagem ao trabalho de sustentar o encontro e o confronto entre consciente e inconsciente. Odisseu intencionalmente imobilizado e impedido de atender ao apelo de se atirar, percebe mais intensamente o seu desejo de desatino e entrega. Consome-se no próprio fogo. E resiste e sobrevive graças ao trabalho conjunto. Enquanto uma parte quer se despedaçar nos rochedos, uma outra parte a impede e segue adiante porque não escuta e nem atende aos apelos das sereias ou do desejo de naufrágio de Odisseu. Atravessam o mar das sereias, no mesmo barco, imobilidade e movimento, o estar e o passar, o ficar e o seguir, a escuta e a não escuta. A não escuta dando suporte para a escuta escutar e escutar-se.

    Importante desenvolver a consciência de que, no mesmo barco do que em nós quer se atirar em mar de sereias, há também marinheiros remaDores. Agradeço a:

Camaradas [que] ergueram-se, amainaram as velas que depositaram no porão do barco; [que] ataram-me de mãos e pés, de pé na carlinga, suspenderam fora de meu alcance as pontas das cordas e, sentados, feriram com os remos o mar cinzento e coloriram de branco as ondas com o pinho polido.[16]

Arrisco supor que essa passagem da *Odisseia* está na "árvore genealógica" de: "Senhores passageiros permaneçam sentados em seus lugares e mantenham os seus cintos de segurança afivelados, pois estamos atravessando uma zona de turbulência."

Depois de muita peregrinação, chego à janela da proximidade, no olhar – cru e poético – do velho Buk, e nos conTemplo por meio dela:

Um final plausível

[...]
deveria haver algum lugar para onde ir
quando você não consegue mais dormir
[...]
é não ter esse lugar para onde ir
que cria as pessoas agora nos hospícios
e os suicídios

suponho que aquilo que a maioria das pessoas faz
quando não há mais lugar algum para onde ir
é ir a qualquer lugar ou fazer qualquer coisa

que dificilmente as satisfaça,
e esse ritual tende a aplainá-las
até que consigam prosseguir de algum modo
mesmo sem esperança.

essas caras que você vê todos os dias nas ruas
não foram criadas
inteiramente sem
esperança: seja generoso com elas:
assim como você
elas não
escaparam.[17]

Notas

[1] HOMERO. *Odisseia*. Tradução: Jaime Bruna. São Paulo: Cultrix, 1993. p. 142.
[2] Ibid., p. 144-145.
[3] PRADO, Adélia. *Poesia reunida*. [Edição Digital]. Rio de Janeiro: Record, 2016. p. 134-135.
[4] BARROS, Manoel. *Poesia completa*. São Paulo: Leya, 2010. p. 374.
[5] KAFKA, Franz. *Narrativas do espólio*. [Edição Digital]. São Paulo: Companhia das Letras, 2012. p. 74.
[6] Ibid., p. 74.
[7] Ibid., p. 74-75.
[8] MOSÉ, Viviane. *Toda palavra*. Rio de Janeiro: Record, 2006. p. 25.
[9] COLASANTI, Marina. *Passageira em trânsito*. Rio de Janeiro: Record, 2009. p. 54.
[10] BRANDÃO, Junito de Souza. *Dicionário mítico-etimológico da mitologia grega*. Petrópolis: Vozes, 2014. p. 563.
[11] JUNG, Carl Gustav. *A natureza da psique*. Petrópolis: Vozes, 2011c. (Obra Completa, v. 8/2). p. 17, § 142.
[12] Ibid., p. 17, § 142.
[13] JUNG, Carl Gustav. *Prática de psicoterapia*. Petrópolis: Vozes, 2011a. (Obra Completa, v. 16/1). p. 15-16, § 2.
[14] JUNG, Carl Gustav. *Os arquétipos e o inconsciente coletivo*. Petrópolis: Vozes, 2011d. (Obra Completa, v. 9/1). p. 141, § 254.
[15] HOMERO, op. cit., p. 145.
[16] Ibid., p. 144-145.
[17] BUKOWSKI, Charles. *As pessoas parecem flores finalmente*. [Edição Digital]. Porto Alegre: L&PM, 2015. p. 143.

alimentando borboletas

> *Perdoai.*
> *Mas eu preciso ser Outros.*
> *Eu penso renovar o homem usando borboletas.*[1]
>
> Manoel de Barros

Borboletas se alimentam de néctar, e algumas espécies de borboletas também se alimentam da lama, esterco de vaca, água e da seiva das árvores.[2]

Nas várias culturas, há muitos simbolismos atribuídos à borboleta. Alguns deles: vida, morte, ressurreição, alma. Psiquê é representada com asas de borboleta. Aqui, "alimentar borboletas" é um convite a alimentar o poeta e a poesia que vive em/com cada um de nós.

Conheci um menino que adorava ir para a escola porque, na escola, além dos coleguinhas, tinha uma coleção de revistinhas de história em quadrinhos que ele "lia" muito, antes de aprender a ler. E esse menino odiou quando a professora lhe ensinou a ler. Com os olhos transbordando desapontamento e uma revistinha amassada nas mãos explicou:

> *Antes d'eu aprender a ler, lia muitas vezes a mesma revistinha e, cada vez, era uma história nova. A mesma revistinha contava muitas histórias. Agora, quando quero ler como lia antes de aprender a ler, a professora grita logo: 'ONDE É QUE ISTO QUE VOCÊ ESTÁ DIZENDO ESTÁ ESCRITO AÍ?' Não gostei de aprender a ler com essa professora! Agora, as revistinhas só contam história repetida e eu tenho de ler sempre a mesma história.*

Mário Quintana:

Cada vez que o poeta cria uma borboleta, o leitor exclama: "Olha uma borboleta!" O crítico ajusta os nasóculos e, ante aquele pedaço esvoaçante de vida, murmura:
– Ah! sim, um leptóptero...[3]

Carl G. Jung:

É de extrema importância para mim ter a maior quantidade de informações possível, a respeito da psicologia primitiva, da mitologia, arqueologia e história das religiões comparadas, pois **essas áreas me fornecem preciosíssimas analogias, que servem para enriquecer as inspirações dos meus pacientes. Juntos poderemos fazer com que as coisas, aparentemente sem sentido, se acerquem da zona rica em significado, favorecendo consideravelmente as ocasiões de se produzir a coisa eficaz.** Aliás, para o leigo – que já fez o que estava ao seu alcance no nível pessoal e racional, e, mesmo assim, não conseguiu descobrir qualquer sentido ou satisfação – a **oportunidade de poder penetrar na esfera irracional da vida** e da experiência, vai ter uma importância incalculável. Com isso, também mudará o seu dia a dia normal, que até pode adquirir um novo interesse. Afinal, **a maioria das coisas depende muito mais da maneira como as encaramos** e não de como são em si. **Vale muito mais viver as pequeninas coisas com sentido, do que as maiores, sem sentido algum.**[4]

Mário Quintana:

Se eu fosse um padre, eu, nos meus sermões,
não falaria em Deus nem no Pecado
[...]

> não citaria santos e profetas:
> nada das suas celestiais promessas
> ou das suas terríveis maldições...
> Se eu fosse um padre eu citaria os poetas,
> [...]
> Porque a poesia purifica a alma
> ...e um belo poema – ainda que de Deus se aparte –
> um belo poema sempre leva a Deus![5]

Eduardo Galeano:

> E nas margens do rio San Juan, o velho poeta me disse que não se deve dar a menor importância aos fanáticos da objetividade:
> – [...] Os que fazem da objetividade uma religião, mentem. Eles não querem ser objetivos, mentira: querem ser objetos, para salvar-se da dor humana.[6]

Trabalhar com psicoterapia é trabalhar com a dor humana e com a subjetividade. E também com a objetividade, objetividade que é fruto de trabalho interno, fruto do diálogo interior.

> É espantoso constatar o quão diminuta é a capacidade das pessoas em admitir a validade do argumento dos outros, embora esta capacidade seja uma das premissas fundamentais e indispensáveis de qualquer comunidade humana. Todos os que têm em vista uma confrontação consigo próprios devem contar sempre com esta dificuldade geral. Na medida em que o indivíduo não reconhece o valor do outro, nega o direito de existir também ao "outro" que está em si, e vice-versa. **A capacidade de diálogo interior é um dos critérios básicos da objetividade.**[7]

Eu não era nascida quando Jung afirmou que "[...] em sua compreensão mais profunda Psicologia é *autoconhecimento*",[8] nem quando ele escutou a conversa entre a matemática e a psicologia, e importou da matemática a função transcendente – "função de números reais e imaginários" – e trouxe para a psicologia a "função psicológica e 'transcendente' [que] resulta da união dos conteúdos *conscientes e inconscientes*".[9] E, quando li sobre função transcendente e a afirmação de que psicologia é autoconhecimento, C. G. Jung, a pessoa, já tinha seguido viagem para o reino de D. Morte. Mas a palavra escrita pode ser "lida" como rastros do mundo interior, no mundo externo. E é surpreendente encontrar tanta proximidade com nossos caminhos nas trilhas de pessoas que estão tão distantes de nós no tempo e no espaço. A palavra é viajante da/na Humanidade e assim encontrei-me com o *Jung-palavra-escrita-que-ressoa*, e esse encontro é assunto nas conversas entre a escuta poética e a psicoterapia.

Aviso: consideraremos a advertência do estimado Mário Quintana: "Cuidado! A poesia não se entrega a quem a define".[10] Andaremos em torno da tentativa de falar com a "escuta poética" e descobrir seus encontros com a psicoterapia.

É sobre escuta a nossa conversa. Multiplicidade. Desterritorializar ouvidos. A poesia é nossa convidada de honra. Talvez chamar de *escuta poética* o que muitas vezes acontece no trabalho do psicoterapeuta. O que tem de inusitado no que parece familiar? Disse Quintana: "[...] o poema é um objeto súbito: os outros objetos já existiam..."[11]

Cá estou em trabalho de parto. O que tenho são as palavras e o que é (im)possível tecer com/sem elas. Talvez não fique compreensível, pois,

Saber que um poço te ensina a ser mais e que não adianta você repetir que é um entendimento que se faz lá dentro, e que o poço é embaixo, mas o que você compreende parece vir de cima, não de cima de mim, Jozu, um de cima mais fundo, um de cima vivendo lá embaixo, ai, como é difícil dizer desse saber para o outro que te escuta.[12]

Abrir-se para testemunhar a existência e a presença do inenarrável é o trabalho do psicoterapeuta(?). E só podemos circum-ambular, trabalhamos com tentativas, aproximações e afastamentos, similaridades e diferenciações. E com *deo concedente*. Quais são os recursos de que (in)dispomos?

Como mais importante do que as explicações são as inspirações que podem acordar a Vida dentro de nós, nos dez anos mais recentes (prefiro "recentes" a "últimos") tenho trazido versos, poemas ou trechos de poemas para algumas sessões. Os *poetas-palavra-símbolo-imagem-que-ressoa* têm sido coterapeutas. Também os compositores de *poemas-letras-de-música* têm sido bem-vindos.

O uso da poesia entra como possibilidade de ampliar o encontro da consciência com o inconsciente e aumentar os recursos para caminharmos por dentro da Vida, em contato com a Vida dentro de nós, em uma conversa interessante e misteriosa.

Acompanho em processo de psicoterapia uma mulher dotada de uma sensibilidade e uma criatividade raras, que veio por conta de um estado constante de muita angústia e muita ansiedade. Ela ocupava a maior parte do seu tempo com trabalho estressante, frequentemente tomada por um elevado grau de autoexigência e autodesqualificação. O trabalho com ela era basicamente ouvi-la e devolver-lhe o que ecoava junto com suas palavras. Um dia, ela trouxe um texto que tinha escrito para o trabalho e que falava sobre encontrar a alma de uma cidade, algo que parecia ter morrido, mas continuava vivo, só estava escondido. Repeti a fala e perguntei como ela escutava. Um silêncio brilhou em seus olhos marejados e ela disse: *Nas últimas semanas, falei e ouvi esse texto infinitas vezes, e só aqui, e só agora, escutei que isso fala de mim também*! Na sessão seguinte, ela chegou dizendo que precisava me mostrar uma música no celular. Ligou em Geraldo Azevedo cantando *Dia Branco*:

> Se você vier
> pro que der e vier comigo
> eu te prometo o sol
> se hoje o sol sair
> ou a chuva
> se a chuva cair
> Se você vier até onde a gente chegar
> [...]
> Nesse dia branco
> se branco ele for
> Esse tanto
> Esse canto de amor
> Se você quiser e vier
> Pro que der e vier comigo.[13]

Ela começou a cantar e depois falou: *Ouvi essa música como se fosse eu dizendo isso* pra *mim mesma. Não foi só essa, ouvi outras que falam de amor, e me dediquei. Depois disso, tem sido tão melhor viver na minha companhia...*

De delicadezas me construo. Trabalho umas rendas
Uma casa de seda para uns olhos duros.
Pudesse livrar-me da maior espiral
Que me circunda e onde sem querer me reconstruo!
[...]
Livrai-me de mim mesma. E que para mim construam
Aquelas delicadezas, umas rendas, uma casa de seda
Para meus olhos duros.[14]

    Pode-se descobrir parecença entre a psicoterapia, a escuta poética e as condições de "Sherazade e do rei Sharyar: falar para não morrer, e escutar para não matar."[15]

    Atendendo uma pessoa que veio para uma sessão com a queixa de estar muito paralisada, cansada de tudo e sem ânimo para falar, olhei para seu corpo encolhido, sua cabeça baixa, seus ombros curvados, sua respiração curtíssima e propus um trabalho com/a partir do corpo. Nesse trabalho, ela entrou em contato com muita escuridão e medo dentro do peito. De olhos fechados, olhava a escuridão e o medo no peito quando, de repente, lhe apareceu a imagem e a sensação de estar em um quarto escuro, muito escuro, e foi descobrindo o que sentia. Pertinho de concluir o trabalho daquela sessão, perguntei se eu poderia ler um poema, um poema trevoso, que talvez conversasse com ela sobre o que tinha aparecido na sessão. Concordou. Li o poema e trago um trechinho:

[...]
Para mim já se apagou a última cor.
E a minha alma se enfurna
Em poços velhos de hulheiras,
De onde foi tirado e queimado o carvão todo.
Como um cego
Que dormisse na treva, amedrontado,
Para sonhar que mais uma vez cegou.[16]

E foi como se o poema/poesia tivesse se aproximado de onde ela estava, tivesse se sentado ao seu lado e lhe estendido a mão convidando-a a entrar completamente na escuridão. Ao aceitar ir junto com as imagens do poema, ela pôde ver-se de fora. Quando terminei a leitura, passou um tempinho, ela abriu os olhos e comentou: *Pensei que só eu conhecia esse lugar, mas esse poema, escrito por uma pessoa que nunca vi e nunca me viu, me diz que esse lugar não é 'só meu'...* Na sessão seguinte, ela contou que estava um pouco mais confortável, que tinha sido muito bom não ter faltado à sessão anterior, como pensou em fazer, e trouxe um sonho. Sonhou que via o interior de um quarto escuro que tinha no centro uma luzinha frágil, em forma de flor. Concluiu o relato do sonho dizendo: *Era escuro e era vivo, no centro dele era uma luz e era uma flor, era uma luz viva.*

Quando estamos diante do outro, o mistério da presença nos atinge. Como a presença do outro e o mistério da presença e do encontro repercutem em nós? Como percebemo-nos sendo afetados pela presença, e pela presença do mistério do outro? Como nosso silêncio fotografa e conversa com o silêncio do outro? Como nos relacionamos com o que repercute em nós? "O outro" pode ser uma pessoa, um aspecto de nós mesmos, um sentimento, um texto, um poema, um pensamento, uma pergunta, uma pedra (tão semeadora de asas em nós...), um animal, uma planta, uma fantasia, uma solidão, uma palavra, uma imagem.

Diante de outro ser humano, se afinarmos nossa escuta interna (e esse é um exercício constante) podemos acompanhar o que se desenha, "o desenho" do que acontece conosco, e isso que nos acontece é campo de trabalho. Identificar o que ocorre, colocar em linguagem para nós mesmos. Livremente. Espontaneamente. Experimento recusar o convite/armadilha de correr para (e me contentar com) os nomes "projeção" e "transferência" (bom, entrar profundamente na busca do sentido que guardam essas palavras também pode nos levar a lugares bem ricos, exemplo: trasnFerir..., mas não vou entrar por essa porta, quero convidar a outros caminhos). Experimentemos aceitar o convite para esmerar nossas observações/escutas/descobertas e, com toda dificuldade que se apresentar, descrevê-las (para nós mesmos) com "palavras que nos são próprias", buscar nossa linguagem pessoal, coloquial. (Com licença para uma conversa paralela e uma piadinha de mau gosto: tem gente que não fala mais "língua de gente", só fala "psicologuês", até suas perguntas são formuladas em "expressões idiomáticas" do "psicologuês".)

Antes de seguir, um lembrete: "Se nos fechamos conosco à procura de novos nomes para as coisas, amigos não teremos".[17]

Se nos acostumamos demais a só usar "palavras já atribuídas" – jargão – abortamos e empobrecemos a pesquisa aberta e profunda, e o interesse genuíno de encarar o mistério e o inenarrável férteis. O uso contínuo das palavras "já atribuídas", especialmente quando estamos em processo de reflexão, pode nos dar a falsa sensação de que sabemos o que não sabemos, e assim podemos congelar o interesse de olhar mais para dentro e simbolicamente. Tem fala "chiclete mastigado e já sem sabor" e tem fala "alimento nutritivo". O vício pela fala "chiclete mastigado e já sem sabor" pode fazer estragos na nossa criatividade e intuição. Mas, às vezes, um chiclete mastigado...

Quando eu era criança, na minha casa, criança não podia "chupar chiclete". A gente não falava "mascar chiclete", a palavra "mascar" era para o fumo e as pessoas velhas é que "mascavam". Eu queria chupar chiclete: aquela coisa na forma de um tabletinho de madeira, só que com uma maciez cor-de-rosa e um cheiro doce que até hoje está guardado nas boas memórias do meu nariz. Mas minha mãe não deixava a gente comprar chiclete na venda de seu Antônio. Na venda de seu Antônio a gente podia comprar sonhos. Um dia, a caminho da venda para buscar sonhos, avistei no chão da calçada um chiclete mastigado que alguém tinha cuspido. Já estava mastigado e pisoteado. Que encontro! Atirei-me sobre ele com as unhas das duas mãos e salvei o chiclete! Levei para casa. Lavei tentando retirar ao máximo as pedrinhas e os sujinhos pretos. O cor-de-rosa lindo continuava na maior parte dele. Lavei e limpei até achar que ele estava pronto e que eu estava pronta. Pronto! Cheirei e havia um arominha de chiclete quase morrendo. Não dava para esperar mais, ele podia morrer: chiclete na boca! Vez ou outra uma pedrinha *crot-crot* nos meus dentes. Eu tirava a pedrinha e continuava mastigando. E, enquanto mastigava, minha língua ia procurando e procurando o gosto que um dia ali estivera e que, agora, era quase um fiapinho de gosto. Mas, ali estava. À medida que eu o mastigava, parecia que ele ia revivendo mais e mais, sentia escorrendo o gosto do caldinho das histórias daquele chiclete, de outra boca com outras palavras e outros dentes e outra língua, a história da calçada e de seus grãozinhos de areia e de todos os pés que por ela e por ele passaram: pé de gente, pé de cachorro, pé de gato, será que pé de barata? Será que pé de vento? Será que pé de (pede) quê? Um chiclete mastigado pode ser um sítio arqueológico. Depende de cada boca (e cada coração) que o encontre. É "só" se dispor a beber/escutar o caldinho da imundice e da poesia que nele ainda se guarda e pode se revelar.

Às vezes, no trabalho com alguns clientes, vejo pessoas falando de si mesmas de uma maneira que me lembra o cuspir fora um chiclete sem sabor. Então, valendo-me das experiências da infância, acolho as palavras daquele "chiclete mastigado e cuspido, quase sem vida", e vou colocando-as em minha boca e mastigando com ajuda da escuta poética, da poesia e dos poetas e vou devolvendo-as à pessoa que vai se renovando em sabor e aroma. E vida. E vamos mastigando juntas, da boca e do coração de uma para a boca e o coração da outra, e a fala/escuta vai se transformado em história, alimento e nutrição.

Outras vezes, percebemos que o que se supunha alimento gostoso e nutritivo é só um chiclete mastigado que nada mais oferece e, se a gente continua a mastigá-lo, ele "mastiga a gente".

E esse tema tem muitas variações...

Comecei a ler. Coisa estranha me aconteceu. Sentia como se o autor estivesse simplesmente dando nomes a sentimentos que já existiam dentro de mim. Não, não eram palavras que enunciavam verdades acerca das coisas de fora e que nos deixam convencidos e impassíveis. Eram palavras encantadas, que invocavam partes do meu próprio ser que eu já sentia, mas ainda não conhecia. Nunca mais pude me esquecer.[18]

"Os sentimentos vastos não têm nome",[19] "[...] a fala se fundamenta na impotência do dizer"[20] e justamente aí, na tentativa e impossibilidade de nomear e dizer, pode estar a riqueza! Que cada palavra, cada fala, seja campo de partida e de chegada e de novos partos. Vale treinar a escuta no "[...] idioma de larvas incendiadas. Palavras que sejam de fontes e não de tanques".[21] "Porque as palavras do tanque são estagnadas, estanques, acostumadas".[22]

Atendo uma mulher que é psicóloga e que acompanhou o processo terminal de uma paciente dando suporte tanto à que partia quanto à família que ficava. Ela veio para a sessão algumas horas depois do falecimento de sua paciente. Estava exausta. Disse: "Estou tão cansada que preciso de 'uma canta' para me recompor."

Tentou "consertar", mas saiu novamente: "preciso de 'uma canta'!" Escutamos juntas essa necessidade especial e específica. E ela foi olhando e descobrindo essa canta, a "sua canta": um lugar para se recolher e descansar, e precisava ser "uma canta" feminina, "uma canta" que tivesse o sagrado, ervas e música.

É triste explicar um poema. É inútil também. Um poema não se explica. É como um soco. E, se for perfeito, te alimenta para toda a vida. Um soco certamente te acorda e, se for em cheio, faz cair tua máscara.[23]

Notas

[1] BARROS, Manoel. *Poesia completa*. São Paulo: Leya, 2010. p. 374.
[2] TUDO sobre borboletas. Disponível em: <http://www.borboleta.org/2011/08/vida-da-borboleta-alimentacao-da.html> Acesso em: 20 dez. 2015.
[3] QUINTANA, Mario. *Poesia completa*. Rio de Janeiro: Nova Aguilar, 2005. Volume único. p. 249.
[4] JUNG, Carl Gustav. *A prática da fisioterapia*. Petópolis: Vozes, 2011a. (Obra Completa v. 16/1). p. 57-58, § 98.
[5] QUINTANA, Mario. *Nova antologia poética*. Rio de Janeiro: Globo, 1987. p. 105.
[6] GALEANO, Eduardo. *O livro dos abraços*. Porto Alegre: L&PM, 2000. p. 118.
[7] JUNG, Carl Gustav. *A natureza da psique*. Petrópolis: Vozes, 2011c. (Obra Completa, v. 8/2). p. 35-36, § 187.
[8] Ibid., p. 12, grifo do autor.
[9] Ibid., p. 13, § 131, grifo do autor.
[10] QUINTANA, Mario, op. cit., p. 375.
[11] Ibid., p. 285.
[12] HILST, Hilda. *Uma superfície de gelo ancorada no riso:* antologia Hilda Hilst. São Paulo: Globo, 2012b. p. 61.
[13] AZEVEDO, Geraldo. Dia branco. Intérprete: Geraldo Azevedo. In: *A luz do solo*. São Paulo: PolyGram/Philips, 1985. 1 disco sonoro (47 min 53 s). Faixa 9 (2min. e 40s).
[14] HILST, Hilda, op. cit., p. 52.
[15] SISTO, Celso. *Textos e pretextos sobre a arte de contar histórias*. Chapecó: Argos, 2001. p. 34.
[16] GUIMARÃES ROSA, João. *Magma*. Rio de Janeiro: Nova Fronteira, 1997. p. 134.
[17] HILST, Hilda, op. cit., p. 35.
[18] ALVES, Rubem. *Reverência pela vida:* a sedução de Ghandi. Campinas: Papirus, 2006. p. 15.
[19] HILST, Hilda, op. cit., p. 128.
[20] DICKINSON, Emily. *A branca voz da solidão*. São Paulo: Iluminuras, 2012. p. 309.
[21] BARROS, Manoel. *Memórias inventadas:* a segunda infância. São Paulo: Planeta do Brasil, 2006. Não paginado. Poema Aula.
[22] Ibid., não paginado. Poema Aula.
[23] HILST, Hilda. *Cascos & carícias & outras crônicas*. São Paulo: Globo, 2007. p. 90.

conclusão?

Se o narraDor cristalizou o olhar e se vê – e se narra – sempre do/no mesmo lugar/contexto, o escutaDor pode gerar movimento psíquico escutando com "um, nenhum e cem mil"[1] outros olhos/ouvidos. Como cultivar uma escuta aberta para a entrada do desconhecido e do que se apresenta inesperadamente pleno de significado? Ou, por outro lado, se há excesso de significado em tudo, uma escuta que traga a simplicidade e a Vida sem demasiada mistificação? A escuta pode pôr em movimento muitas forças e conectar muitos fios. Essa escuta-renovação é possível se o escutaDor se dispõe a dialogar em várias direções: na do outro, na do sagrado/mistério, na sua própria (não necessariamente nessa ordem).

Três poemas que se confrontam e se complementam e, juntos, se movem, ilustrando a pluralidade das direções dos diálogos da/com a escuta:

O outro

[...]
A verdade essencial
é o desconhecido que me habita
e a cada amanhecer me dá um soco.
Por ele sou também observado
com ironia, desprezo, incompreensão.
E assim vivemos, se ao confronto se chama viver,
unidos, impossibilitados de desligamento,
acomodados, adversos,
roídos de infernal curiosidade.[2]

Escuto

Escuto mas não sei
Se o que oiço é silêncio
ou Deus
Escuto sem saber se estou ouvindo
O ressoar das planícies do vazio
Ou a consciência atenta
Que nos confins do universo
Me decifra e fita
[...]
E por isso em cada gesto ponho
Solenidade e risco.[3]

Tudo vive em mim. Tudo se entranha
Na minha tumultuada vida. [...]
Porque o poeta é irmão do escondido das gentes
[...] Quando o poeta fala
Fala do seu quarto, não fala do palanque,
Não está no comício, não deseja riqueza
Não barganha, sabe que o ouro é sangue
Tem os olhos no espírito do homem
No possível infinito. Sabe de cada um
A própria fome. E porque é assim, eu te peço:
Escuta-me. Olha-me. Enquanto vive um poeta
O homem está vivo.[4]

_____

(este é um espaço dedicado a homenagear as entrelinhas)

_____

Em algum lugar, são (quase) vizinhas a escuta poética e a psicoterapia. Juntas, elas zelam pela não banalização da Vida e, com muito amor, no terreno baldio entre suas casas, mantêm vivo – e faminto! – um animal que "[...] vai farejando poesia em tudo, pois nunca se sabe quanto tesouro andará desperdiçado por aí... Quanto filhotinho de estrela atirado no lixo![5]

Notas

[1] Pirandello, Luigi. *Um, nenhum e cem mil*. São Paulo: Cosac Naify, 2012.
[2] ANDRADE, Carlos Drummond de. *Corpo*. Rio de Janeiro: Record, 1984. p. 29.
[3] ANDRESEN, Sophia de Mello Breyner. *Geografia*. [s.l.]: Assírio & Alvim, 2014. p. 48.
[4] HILST, Hilda. *Cascos & carícias & outras crônicas*. São Paulo: Globo, 2007. p. 227.
[5] QUINTANA, Mario. *Poesia completa*. Rio de Janeiro: Nova Aguilar, 2005. Volume único. p. 961.

pedra - o começo

(Essa é uma parte mais teórica, dedicada àqueles que apreciam mapas)

No dia 22 de maio de 1929, em um dos encontros do seu seminário sobre análise dos sonhos, Jung afirmou: "Há um caminho intermediário da autonomia psíquica, uma concepção que não entrou no espírito filosófico do nosso tempo. Fazer com que as pessoas entendam esse 'caminho intermediário' tem sido meu esforço específico".[1]

O que faz Jung afirmar que a concepção de "caminho intermediário" – área intermediária – "não entrou no espírito filosófico do nosso tempo"? Jung referia-se à constatação de uma unilateralização, referia-se à prioridade cultural dada à consciência, ao pensamento lógico, pensamento racional, pensamento dirigido. Lembremo-nos de que, ao findar o século XIX e no raiar do século XX, a ciência despontava com a força dos começos. Para ter valor científico tudo precisava ser medido, pesado, calculado, explicado. Os cientistas estavam focados em descobrir o cálculo exato, a explicação clara, e em fazer a previsão precisa do que viria a acontecer. Assim, fortemente identificado com uma única função – a função pensamento – e, sem perceber, ferido e mutilado,[2] o homem toma a si mesmo como objeto de estudo científico. É o nascimento da psicologia como ciência. Muitos foram os avanços e os limites dessa produção de conhecimento.

Em *Símbolos da Transformação*, Jung diferencia dois tipos de pensamento: o pensamento dirigido e o pensamento-fantasia. Sobre o que chamou pensamento dirigido, ele diz: "[...] é trabalhoso e cansativo [...], produz aquisições novas, adaptação, imita a realidade, e procura agir sobre ela"[3] e que "[...] as expressões mais nítidas do pensamento dirigido são a ciência e a técnica por ela alimentada".[4] E, ao findar a descrição, interroga "o que acontece quando não pensamos de modo dirigido?" Com essa pergunta, ele introduz o que chamou de pensamento-fantasia: o que "[...] trabalha sem esforço, por assim dizer, espontaneamente, com conteúdos encontrados prontos, e é dirigido por motivos inconscientes [...] afasta-se da realidade, liberta tendências subjetivas, e é improdutivo com relação à adaptação".[5] Estas são apenas suas primeiras palavras para falar sobre o pensamento-fantasia. Como a reflexão e a escrita de Jung se dão, e nos são apresentadas, em processo, depois dessas primeiras palavras sobre o assunto, ele vai nos conduzindo até a afirmação de que "[...] pelo pensamento-fantasia se faz a ligação do pensamento dirigido com as 'camadas' mais antigas do espírito humano, que há muito se encontram abaixo do limiar consciente".[6] O pensamento-fantasia é o que Jung também chamou de "caminho intermediário", aquele que está entre os opostos consciência e inconsciente. Nele, o eu e a consciência não são o centro, estão em cena, mas não são protagonistas. A atitude da consciência é de abertura para a escuta e o diálogo com o inconsciente. Nesse espaço/caminho a consciência e o inconsciente têm uma relação de "[...]combate aberto e colaboração aberta ao mesmo tempo";[7] não há "centralizações", há o reconhecimento e a inclusão da diferenciação e da pluralidade; a ligação e a conexão é que protagonizam.

O caminho intermediário – a área intermediária – tem grande importância para o trabalho clínico, para ampliação da escuta. Afinal, nos sonhos, a psique está entregue ao inconsciente e a consciência está adormecida. No pensamento dirigido, a consciência está no domínio, e o contato com o inconsciente dá-se prioritariamente por meio do pensamento lógico, racional. O trabalho com uma imagem de sonho pode ser o ponto de partida para uma experiência com a área intermediária, isso se, e apenas se, a consciência puder se colocar numa atitude de escuta e consideração do material vindo do inconsciente. Uma questão que esteja ocupando muita energia do pensamento dirigido também pode ser ponto de partida para a experiência com a área intermediária. O espaço *intermediário* é um espaço VIVO de atividade criativa, de acolhimento e confronto, de transformação, de desvelamentos, de brotamentos e de convivência com a multiplicidade e com o invisível que se dá a conhecer; não é um espaço de explicação ou de dominação.

Espaço VIVO de atividade criativa, de acolhimento e confronto, de transformação, de desvelamentos, de brotamentos e de convivência com a multiplicidade e com o invisível que se dá a conhecer é como Jung nos fala da fantasia ativa e também da clínica, da prática da psicologia. E foi justamente ao falar da prática clínica que Jung denunciou a limitação da ciência ancorada basicamente no pensamento lógico/dirigido. Ao falar da clínica, Jung colocou e defendeu a importância de se respeitar e integrar a multiplicidade que compõe a subjetividade humana e deu prioridade ao pensamento-fantasia.

Em *Tipos Psicológicos*, livro "[...] fruto de quase vinte anos de trabalho no campo da psicologia prática",[8] publicado a primeira vez em 1921, Jung afirma que, embora o intelecto seja o senhor do campo científico, quando a ciência passa para a aplicação prática, o intelecto torna-se um instrumento a serviço da força e da intenção criadoras. Para ele, na psicologia prática – psicoterapia – a fantasia detém a primazia e a vida assume a direção. E nos fala dessa potência transformadora:

> **O que é a realidade se não for uma realidade em nós, um *esse in anima*?** [...] Somente através da atividade vital e específica da psique alcança a impressão sensível aquela intensidade, e a ideia, aquela força eficaz que são os dois componentes indispensáveis da realidade viva. Esta atividade autônoma da psique, que não pode ser considerada uma

reação reflexiva às impressões sensíveis nem um órgão executor das ideias eternas, é, como todo processo vital, um ato de criação contínua. **A psique cria realidade todos os dias. A única expressão que me ocorre para designar essa atividade é fantasia.** A fantasia é tanto sentimento quanto pensamento, é tanto intuição quanto sensação. Não há função psíquica que não esteja inseparavelmente ligada pela fantasia com as outras funções psíquicas. Às vezes aparece em sua forma primordial, às vezes é o produto último e mais audacioso da síntese de todas as capacidades. Por isso **a fantasia me parece a expressão mais clara da atividade específica da psique. É sobretudo a atividade criativa donde provêm as respostas a todas as questões passíveis de resposta; é a mãe de todas as possibilidades onde o mundo interior e exterior formam uma unidade viva,** como todos os opostos psicológicos. A fantasia foi e sempre será aquela que lança a ponte entre as exigências inconciliáveis do sujeito e objeto, da introversão e extroversão.[9]

Essa citação de Jung foi utilizada por Maroni, em seu livro *Eros na Passagem*, para falar sobre a singularidade e o que tem de peculiar e específico a clínica junguiana. A autora ressalta a importância do "espaço intermediário" no *setting*. Maroni é enfática: "[...] volto a insistir que todos os conceitos importantes na clínica junguiana girarão em torno da 'área intermediária', do 'terceiro reino', acesso privilegiado para a alma".[10] E ela traz um alerta ao levantar uma possibilidade, um talvez...

> A intuição do terceiro reino, do espaço intermediário, que dá conta de toda a sua prática clínica, talvez, para o próprio Jung, tenha permanecido só como intuição. Talvez o próprio Jung não tenha acordado para o que estava produzindo e nós, cegados pelo próprio mestre, tenhamos dificuldade de fazer da intuição um despertar consciente.[11]

Maroni publicou o seu *Eros na Passagem* em 2008, seis anos antes da publicação dos *Seminários Sobre Análise dos Sonhos* (2014). Assim, depois de ler os dois textos, concluo, respondendo a Maroni, que Jung estava acordado e bem sabia da importância do espaço intermediário, tanto que afirmou, lá em 22 de maio de 1929:

> Há um caminho intermediário da autonomia psíquica, uma concepção que não entrou no espírito filosófico do nosso tempo. Fazer com que as pessoas entendam esse 'caminho intermediário' tem sido meu esforço específico.[12]

Maroni une-se a Jung no esforço de fazer com que as pessoas entendam esse caminho intermediário.

Esse livro faz parte da tentativa de aproximar mais pessoas da experiência com o espaço intermediário. Para escrever, arrisquei-me na tentativa de escutar e considerar tanto o que vinha do inconsciente – brotando e fluindo sem aviso prévio – quanto o que vinha da consciência, busquei sustentar entre consciência e inconsciente "[...] o combate aberto e a colaboração aberta ao mesmo tempo",[13] daí a escolha da linguagem poética, da escrita em forma de notas, do uso do recurso da interrupção do pensamento e da pluralidade e interatividade de vozes, da não linearidade e da multiplicidade de relatos para compor a fala sobre a escuta e o diálogo.

Mas, e a pedra? Pois. Pedras são seres silenciosos que desde priscas eras acompanham e auxiliam os humanos na luta pela sobrevivência, fizeram/fazem parte da construção de moradias, altares, templos e túmulos, serviram (e ainda servem!) de artigo mágico e sagrado, escutaram a humanidade em seus primeiros rabiscos, desenhos e escritos e guardaram esses registros de modo a criar o encontro entre os humanos de hoje e os de tempos imemoriais, servem de inspiração e matéria prima a infinitos processos criativos. As pedras sempre podem tanto nos proteger e inspirar, quanto desabar sobre nós. A pedra é um silêncio em cujo ventre tanta coisa está guardada e sempre sendo criada... Termino trazendo um poema de João Cabral de Melo Neto que se chama *A educação pela pedra*. Ele começa dizendo que "para aprender da pedra, frequentá-la", essa é a primeira lição da educação pela pedra, e a primeira das lições de fora para dentro. Depois das lições de fora para dentro, vem a educação de dentro para fora, e pré-didática, "outra educação pela pedra: no Sertão". O poeta nos conta que "no Sertão a pedra não sabe lecionar, e, se lecionasse, não ensinaria nada; lá não se aprende a pedra: lá a pedra, uma pedra de nascença, entranha a alma."[14] Esse escrito é um convite a mantermos viva – e faminta! – a conexão, a escuta e o diálogo com a pedra que nos entranha a alma.

Notas

[1] MCGUIRE, William (Org.). *Seminários sobre análise dos sonhos*: notas do seminário dado em 1928-1930 por C. G. Jung. Tradução Caio Liudvik. Petrópolis: Vozes, 2014. p. 221.

[2] MARONI, Amnéris. *Jung o poeta da alma*. São Paulo: Summus, 1998. p. 28.

[3] JUNG, Carl Gustav. *Símbolos da transformação*. Petrópolis: Vozes, 2011e. (Obra Completa, v. 5). p. 39, § 21.

[4] Ibid., p. 39, § 21.

[5] Ibid., p. 39, § 20.

[6] Ibid., p. 50, § 39.

[7] JUNG, Carl Gustav, *Os arquétipos e o inconsciente coletivo*. Petrópolis: Vozes, 2011d. (Obra Completa, v. 9/1). p. 288, § 522.

[8] JUNG, Carl Gustave, *Tipos psicológicos*. Petrópolis: Vozes, 2011f. (Obra Completa, v. 6). p. 15.

[9] Ibid., p. 65-66, § 73, grifo meu.

[10] MARONI, Amnéris. *Eros na passagem*: uma leitura de Jung a partir de Bion. Aparecida: Ideias & Letras, 2008 (Coleção Psi-Atualidades, 10). p. 177.

[11] MARONI, Amnéris, loc. cit.

[12] MCGUIRE, William, op. cit., p. 221.

[13] JUNG, Carl Gustav. op. cit., p. 288, § 522.

[14] MELO NETO, João Cabral de. *A educação pela pedra e outros poemas*. Rio de Janeiro: Objetiva, 2008. p. 207.

referências

ALVES, Rubem. *Reverência pela vida*: a sedução de Ghandi. Campinas: Papirus, 2006.

ANDRADE, Carlos Drummond de. *Corpo*. Rio de Janeiro: Record, 1984.

ANDRESEN, Sophia de Mello Breyner. *Geografia*. [s.l.]: Assírio & Alvim, 2014.

AUSTER, Paul. *Todos os poemas*. São Paulo: Companhia das Letras, 2013.

AZEVEDO, Geraldo. Dia branco. Intérprete: Geraldo Azevedo. In: *A luz do solo*. São Paulo: PolyGram/Philips, 1985. 1 disco sonoro (47 min 53 s). Faixa 9 (2min. e 40s).

BARBOSA, Orestes; CALDAS, Silvio. Chão de estrelas. Intérprete: Nelson Gonçalves. In: NELSON GONÇALVES. *50 anos de boemia*. São Paulo: RCA Victor. CD, v. 1. Faixa 13.

BARROS, Manoel. *Memórias inventadas*: a segunda infância. São Paulo: Planeta do Brasil, 2006.

_____. *Poesia completa*. São Paulo: Leya, 2010.

BENEDETTI, Mario. *Inventário*: poesia (1950-1985). Madrid: Visor Libros, 2005.

BOFF, Leonardo. *O Casamento entre o céu e a terra*: contos dos povos indígenas do Brasil. Rio de Janeiro: Salamandra, 2001.

BRANDÃO, Junito de Souza. *Dicionário mítico-etimológico da mitologia grega*. Petrópolis: Vozes, 2014.

BUKOWSKI, Charles. *As pessoas parecem flores finalmente*. [Edição Digital]. Porto Alegre: L&PM, 2015.

COLASANTI, Marina. *Passageira em trânsito*. Rio de Janeiro: Record, 2009.

DICKINSON, Emily. *A branca voz da solidão*. São Paulo: Iluminuras, 2012.

GALEANO, Eduardo. *O livro dos abraços*. Porto Alegre: L&PM, 2000.

GRIMM, J. Ludwig; GRIMM, Wilhelm. *Contos e lendas dos irmãos Grimm*. São Paulo: Edigraf, 1963. (Coleção Completa, v. VIII).

GUIMARÃES ROSA, João. *Magma*. Rio de Janeiro: Nova Fronteira, 1997.

GULLAR, Ferreira. *Poesia completa, teatro e prosa*: volume único. Rio de Janeiro: Nova Aguilar, 2008.

HILST, Hilda. *Cascos & carícias & outras crônicas*. São Paulo: Globo, 2007.

_____. *Exercícios*. São Paulo: MEDIAfashion, 2012a (Coleção Folha. Literatura íbero-americana, v. 24).

_____. *Uma superfície de gelo ancorada no riso*: antologia Hilda Hilst. São Paulo: Globo, 2012b.

HOMERO. *Odisseia*. Tradução: Jaime Bruna. São Paulo: Cultrix, 1993.

JUNG, Carl Gustav. *A prática da psicoterapia*. Petrópolis: Vozes, 2011a. (Obra Completa, v. 16/1).

_____. *Ab-reação, análise dos sonhos e transferência*. Petrópolis: Vozes, 2011b. (Obra Completa, v. 16/2).

_____. *A natureza da psique*. Petrópolis: Vozes, 2011c. (Obra Completa, v. 8/2).

_____. *Os arquétipos e o inconsciente coletivo*. Petrópolis: Vozes, 2011d. (Obra Completa, v. 9/1).

_____. *Símbolos da transformação*. Petrópolis: Vozes, 2011e. (Obra Completa, v. 5).

_____.*Tipos psicológicos*. Petrópolis: Vozes, 2011f. (Obra Completa, v. 6).

KAFKA, Franz. *Narrativas do espólio*. [Edição Digital]. São Paulo: Companhia das Letras, 2012.

LISPECTOR, Clarice. *Aprendendo a viver*: imagens. Edição de texto: Tereza Monteiro; edição de fotografia: Luiz Ferreira. Rio de Janeiro: Rocco, 2005.

MARONI, Amnéris. *Eros na passagem*: uma leitura de Jung a partir de Bion. Aparecida: Ideias & Letras, 2008. (Coleção Psi-Atualidades, 10).

_____. *Jung O Poeta da Alma*. São Paulo: Summus, 1998.

MCGUIRE, William (Org.). *Seminários sobre análise dos sonhos*: notas do seminário dado em 1928-1930 por C. G. Jung. Tradução Caio Liudvik. Petrópolis: Vozes, 2014.

MELO NETO, João Cabral de. *A educação pela pedra e outros poemas*. Rio de Janeiro: Objetiva, 2008.

MOSÉ, Viviane. *Toda palavra*. Rio de Janeiro: Record, 2006.

PRADO, Adélia. *Oráculos de maio*. São Paulo: Siciliano, 1999.

_____. *Poesia reunida*. [Edição Digital]. Rio de Janeiro: Record, 2016.

QUINTANA, Mario. *Nova antologia poética*. Rio de Janeiro: Globo, 1987.

_____. *Poesia completa*. Rio de Janeiro: Nova Aguilar, 2005. Volume único.

SISTO, Celso. *Textos e pretextos sobre a arte de contar histórias*. Chapecó: Argos, 2001.

TUDO sobre borboletas. Disponível em: <http://www.borboleta.org/2011/08/vida-da-borboleta-alimentacao-da.html> Acesso em: 20 dez. 2015.

Aqui vai uma proposta
um convite pós-textual:
Escolha um número de 1 a 27

Confira nas próximas páginas a
fala que corresponde ao número
que você escolheu. As falas são
pedacinhos recortados do texto do
livro. Como será seu encontro com
o contexto da fala correspondente
ao número escolhido?

1

a Senhora
"NãoEscuta"
está conosco.
Ela está
no meio
de nós.

2

o Outro, seja
fora ou dentro
de nós, é sempre
terra e idioma
desconhecidos...

3

tenho mais afinidade
com um "**não sei**"
sincero do que com
um "**eu sei**" autoritário

(isso é coisa para mantermos vigília!)

4
somos todos vulneráveis a possessões, pontos cegos e pontos surdos, trabalhá-los em nós é uma labuta!

5
perguntas podem ser pedras, setas, bumerangues e zarabatanas disparadas pelo sopro humano

6

o silêncio e a amplidão eram entorno e recheio

7 onde você está?

8

já experimentou
fechar os olhos
ESCUTAR os segredos
e as histórias
das SOLAS DOS PÉS?

9 Ah, quanto tempo passamos longe
de nossos próprios passos!…

10

A POESIA QUANDO CHEGA NÃO RESPEITA NADA

11

NÃO É TODO
poema
QUE TEM
poesia

12

a lua
furando
nosso zinco
salpicava
de estrelas
nosso
chão

13

entrar pelo poema e deixar
que ele entre na gente

14
O QUE CHAMAMOS DE "DE CASA", "ESTAR EM CASA", SENTIR-SE "EM CASA"?

15 A CASA ESTÁ MORTA?

16　tanto silêncio a ser trazido à luz

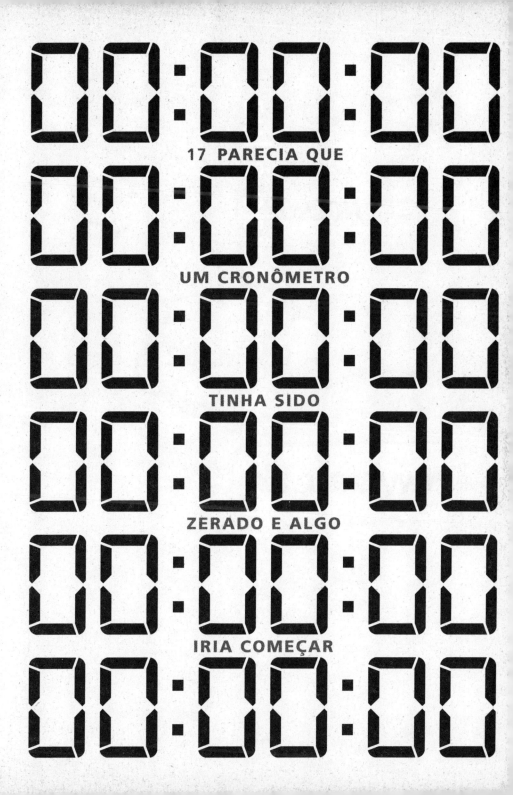

18
NOSSOS
SILÊNCIOS
CONVERSARAM

19
FOI CHAMADA À VIDA, AO SER ATINGIDA PELA EXPERIÊNCIA DA VIDA DA SUA MORTE

20

falou baixinho, dizendo que estava contente por duas coisas

21
FALAR PARA NÃO MORRER, E ESCUTAR PARA NÃO MATAR

22

meu silêncio
recolhia e
guardava
cada chispa,
cada luzinha,
e trazia para
eu poder olhar.

24

queria
uma relação
perigosamente
erótica, na qual
ele despisse
o olhar e me
olhasse com os
olhos nus?

25

fazer-se de não escutante é uma forma de salvar-se?

26

**os que fazem
da objetividade
uma religião,
mentem.**

27

O que tem de inusitado no que parece familiar?

Este livro foi editado em junho de 2018
pela Solisluna Design Editora, na Bahia.
Impresso em papel pólen bold 90 g/m²
na Gráfica Viena, em São Paulo.